西郷の貌

新発見の古写真が暴いた明治政府の偽造史

加治将一

祥伝社文庫

どれも「本当の顔」を描いていない!?

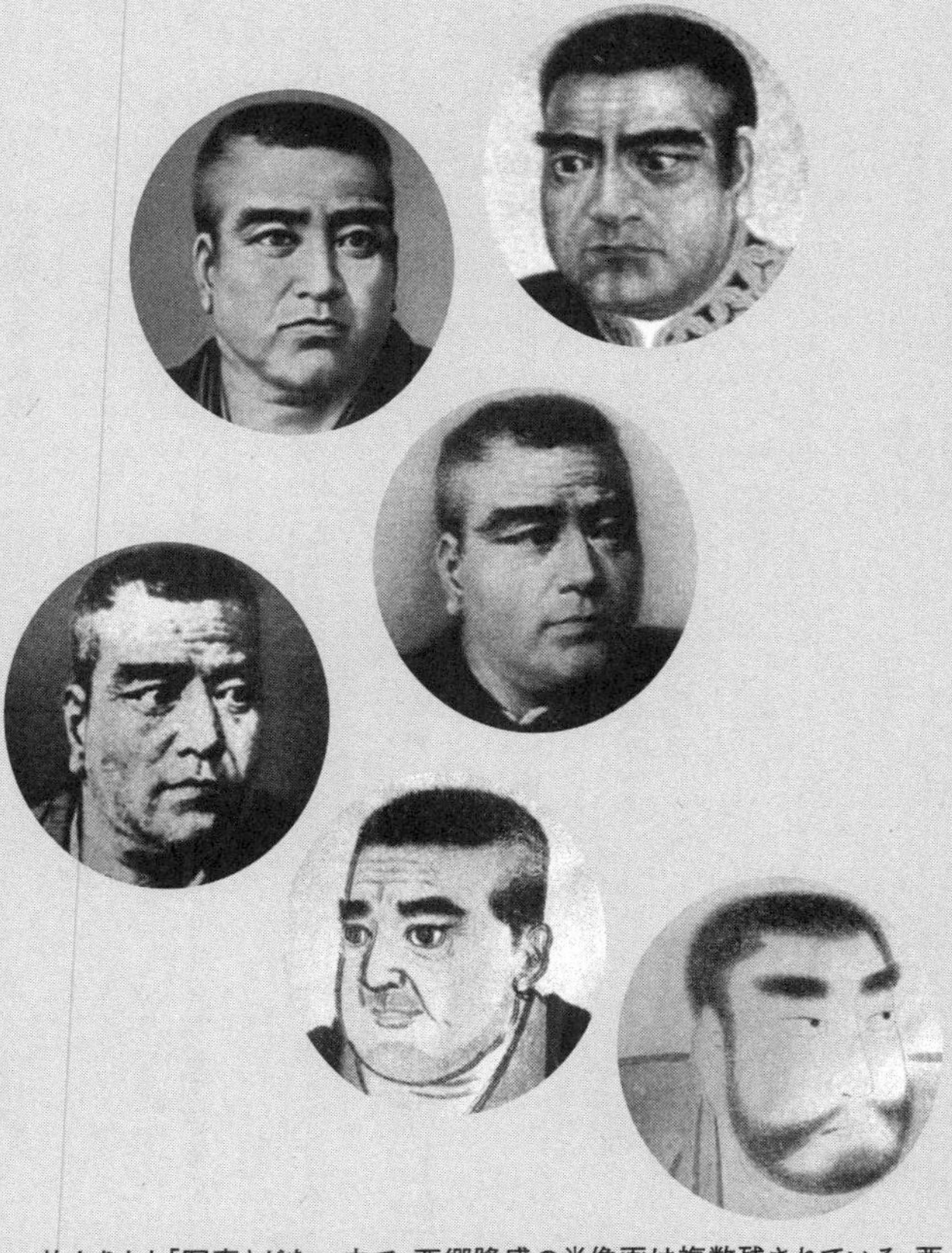

一枚たりとも「写真」がない中で、西郷隆盛の肖像画は複数残されている。西郷本人と面会した人物が描いたもの、または面会者の話をもとに描き起こしたもの……。しかし、どれも「真の姿」ではない。それには理由がある。

【主要登場人物】

望月真司《もちづきしんじ》……歴史作家。数々の脅迫や襲撃に遭いながら、タブーを恐れず執筆を続ける。

桐山《きりやま》ユカ……中学校の社会科教師。歴史全般に造詣が深く、望月をサポートする。

奥田《おくだ》……〈沈黙の抵抗〉という組織を率いる男。望月に一枚の古写真を差し出す。

井上喜一郎《いのうえきいちろう》……鹿児島に住む地元紙のＯＢ。望月の現地取材に便宜を図る。

但馬《たじま》……望月が太宰府天満宮で出会う元大学教授。

目次

装幀／中原達治

1――明治政府の結界

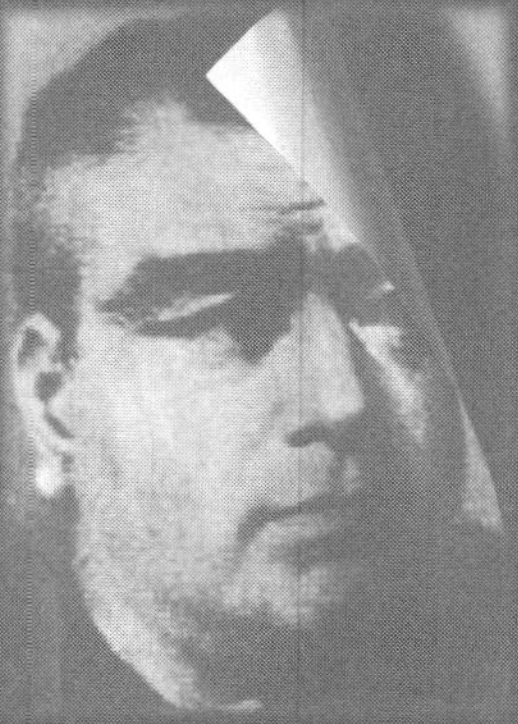

記憶

男は、自分で自分が分からなかった。

音が聞こえた。雨音だ。
男の眼が薄く開いた。
額《ひたい》から玉の汗がつっと滴《したた》って、目元に流れた。
身体が鉛《なまり》のように重い。
感覚が朦朧《もうろう》として、生きている実感がない。
色もなく、匂いもなく、味もなかった。
白い壁、白い天井、窓……雨がばたばたと激しく窓ガラスを打っている。
嵐に近い。
再び視線を室内に戻す。しんと静まりかえった部屋。
毛布……その下に己《おのれ》の身体がある……。
――ホテルのベッドか？　いや違う――
また眠りに落ちた。

どれくらいたったのか、再び意識が戻った。

夢は伴わず、気付くと誰かがベッドの脇にいた。

看護婦だ。

点滴の交換をしているようだった。

「あの……」

男の低く、弱い声が洩《も》れた。口が渇いていて、舌が張り付く。

「あっ、気付いたんですね」

振り返った顔は眩《まぶ》しいほど明るかった。ポニー・テール、三〇歳を少し過ぎている。

「わぁ、よかった。心配していたんですよ」

数秒の間があく。

「ここは？」

男は不器用に首をずらし、たどたどしく左右を見た。

「テンシ」

「テンシ？」

「天使……病院」

「……」

「分かりますか？」

「どこの？」

「どこのって、いわきの天使病院」

「いわき？」

「そうよ」

「いわき……」

おぼろげだが、少し身近に感じた。

「福島ですよ」

可笑《おか》しそうに答えた。

「福島のいわき……」

男は戸惑うように呟《つぶや》く。看護婦は、愛くるしい顔で男の顔を覗《のぞ》いた。

「いわきだと、変かしら」

男は、口の中でかすかに呟いた。

「どうして……僕はいわきに？」

「さあ、どうしてかしら」

冗談めかして肩をすくめながら、男の手首を摑《つか》んで脈を取りはじめる。その仕草に見とれていると、看護婦はブツブツ独《ひと》り言を言いながら結果を書き込み、男の名前を訊《き》いた。

男が答えようと口を開いた。

が、何も出てこなかった。

看護婦は、名前をもう一度訊《たず》ねた。男の口は閉じたままだ。

今日、いや今という現実感すらなく、思考の輪郭もなかった。ぼうっと虚《うつ》ろだ。男にかまっている暇などないのか、看護婦はそのままそそくさと出ていった。


目覚めると暗かった。

壁に小さな明りが灯《とも》っていた。身体という身体に痛みと痺《しび》れ。

いったい自分に何が起こったのか？　そう考えられるほどになっていた。

ふと見ると手の甲に擦《す》り傷があった。病院着の袖から、腕の青痣《あおあざ》もちらりと見えた。

――交通事故に遭《あ》ったのか？　それとも……――

端から端まで記憶が飛んでいた。手が付けられない。何かが狂っている。

己の顔、年齢……ぜんぶ分からなかった。

手を見れば子供ではない。男だということは分かる。認識はその程度で、まして自分が何者なのかなど、まったくもって像が描けなかった。

心が少し戻り、自分を無性に知りたくなった。

もどかしく目を凝《こ》らすとトイレらしきドアがあった。きっと中に鏡があるはずだ。

心がうずき、立とうとした時、ドアが開いた。

天井の照明が点《つ》く。

「お目覚めですか、主治医の青木《あおき》です」

先刻の看護婦と一緒だった。

中年の医者はさっそく、男の眼球にペン・ライトを当てはじめる。

「ご気分は？」

「身体中に、痛みが……」

「痛み止めを出します。それ以外は、いかがです？」

「特には……」

異常は見られないという素振りで、ペン・ライトをポケットに仕舞う。

「吐き気はありますか？」

医者は首筋から、男の顎《あご》の下を指先で押すように探る。

「ありません」

「空腹を感じますか？」

男はちょっと考え、多少と答えた。

「それより喉《のど》が渇きました」

「ああ、そうですね。水をすぐ持ってこさせます」

看護婦が素早く部屋を出た。

「で、お名前を思い出せないとか」

「はい……」

切ない声で答えた。

「焦《あせ》らなくてけっこうですよ。頭部ＣＴスキャン、脳波検査の結果に異常はみられません。おそらく何かのショックによる軽い記憶喪失症でしょう」

さらりと言った。

「記憶……喪失……」

医者が頷《うなず》きながら、折り畳み式の椅子《いす》を広げて座った。

「身体的外傷による記憶障害です」

「薬の、ぼやけではないのですか？」

「それはありません」

断定した。

「回復するでしょうか？」

「記憶喪失の完全回復率は、二割程度だと聞いています」

こともなげな答えに、うろたえる。

「二割ですか……」

「私は外科医で、脳は専門外です。あとで担当の先生に報告しておきますよ」

さらに続けた。

「骨折はないようです。打撲《だぼく》だけですね。首の付け根が一番ひどいのですが、まあどうということはないでしょう。心当たりはありますか？」

「はい」

「打撲の？」

「いえ……」

医者が独り言のようにしゃべった。男には乖離《かいり》状態を引き起こしていると聞こえた。

「足を滑らせて崖《がけ》から落ちたのかもしれませんが、事件性も考えられます。一応、警察には通報義務があるので、所定の手続きに従って連絡はしておきました。たぶん明日あたり刑事が来ますが、差し障《さわ》りがなければ思い出せる範囲でけっこうです。事情を説明してみてください」

男は納得し、自分の所持品を訊いた。

「そこに入れてあります」

医者は、棚の段ボール箱を視線で示した。

「身元につながるものは、ないようですね」

と医者。

「そうですか……今は何日ですか？」

男はよどみなく質問した。感覚が少し戻ってきた。

「六月三日の金曜日」

「どのくらいここにいます?」

「二日間」


「おまちどおさま」

看護婦がペット・ボトルを手に、戻ってきた。

「院内巡回ですので」

医者が椅子を片づけながら言った。

「何かあったら呼んでください」

看護婦と二人っきりになった。

男は看護婦の手を借りて、のろい動作でベッドから降り、点滴と痛みを引きずってトイレに向かった。

ドアを開けた。

冷静とは言えなかった。正直、己を見るのが怖かったが、ゆるりと鏡の前に立った。

知らない男が、登場した。薄っすらと髭《ひげ》が伸びている。

――この顔が……自分なのか――

疲れたおやじだ。

謙虚そうでも、傲慢《ごうまん》そうでもなく……。気にくわないからといって、今さら別の顔と取り換えはきかない。

しみじみと眺めた。顔の右をさらし、左をさらした。眼は比較的大きく、意志の強さを秘めている。鼻筋も素直に通っていて、しっかり者のようだった。

いくら見つめても、己を懐かしむ気分は湧《わ》かない。まるで赤の他人だ。呼び覚ますものなど欠片《かけら》もなかった。

しかしどことなく、ほっとする顔だった。

無様《ぶざま》というほどでもなかったし、なかなかベテランの味があった。人とは違う道を選んでいるような面構えでもあり、まんざら捨てたものではない。

傷が鼻にあった。指先で触ったが、どうということはない。

病院着のボタンを外し、前をはだけた。

医者の言ったとおり、けっこうな青痣が胸、腹のいたる所に付いていた。

交通事故とも違う、殴られたのとも違うようだった。

――やはり、足を滑らせ、どこかから落ちたのかもしれない――

ペット・ボトルのフタを回し、水を口に含んだ。

うがいをすべく、上を向くと首根っこがずきずきした。

二、三度、口をゆすぎ、それからゆっくりと水を呑《の》んだ。

ようやく生きた心地がした。生きた心地、それだけが、現実だった。

ベッドに戻る途中、棚に載《の》せてある段ボールを開けてみた。

財布はなかった。

破れて汚れたグレーのジャケット、麻のシャツとパンツ……。茶色の革靴が片方だけあった。

医者の言ったとおり、身を証《あか》すものは何一つない。

「所持品は、これだけですか？」

「ええ、そうみたいですよ」

看護婦は、ベッドの毛布をめくって答えた。

「はい、早く戻りましょうね。無理は禁物です」

ベッドに横になり、窓の外に眼をやった。雨は、ますます激しくなっていた。

朝食は粥《かゆ》だった。味もよく、完食した。

しばらくすると、看護婦が見知らぬ男を連れてきた。

四〇歳くらいの小太りの男、刑事だった。

湯ノ岳《ゆだけ》展望台近くの林道に倒れていたのを宅配便の運転手が発見して、この病院に運び込んでくれたのだと説明した。

「なぜ、人気《ひとけ》のない辺鄙《へんぴ》な所に？」

「まったく……」

男は首を振った。

記憶喪失のことは医者に聞いているらしく、納得したように深く頷く。

「運転手さんのことも記憶がない？」

「ええ」

「五〇歳くらいの太った運転手なんですがねえ……作業服を着た」

唇を嚙《か》んだ。見たもののすべてが失われている。

「状況から察するに、どうも山の上から転がり落ちて、その後、自力で道を下りてきたようなんですが」

自分としては分厚いレンズを通して自分の頭の中を覗いているようで、天も地もぼやけている。

「完璧に思い出さなくとも、何かちょっとくらいは」

記憶障害に対する、疑いを感じた。こじ開けようとする、嫌な視線が気になった。

男の方も、刑事に淡い疑いを感じていた。

何かを摑んでいて、隠す素振りが見えたからだ。逆に男が訊いた。

「現場での収穫物はありましたか？」

刑事は、おやという顔をした。

男の質問に貫禄めいたものを感じたようで、これはきちんと応ずべき相手だ、というように表情を改める。

「弱りましたな」

軽い溜息をつく。

「ご家族の記憶も？」

頭の中は白紙だ。何も書かれていない。

「結婚している感触はないですか？」

眼を瞑《つむ》った。だんだんと考えることが苦痛になってきた。

「お子さんは？」

首を振る。

「仕事はどうです？　勤め先とまではいかなくとも、職種くらいは……」

「分かりません」

投げやりに答える。

「だいたい、なぜあんな山に一人でいたんです？　ハイキングはないでしょう。おかしいとは思いませんか?」

男は一時、けわしい顔をした。

「……」

「だめですか」

刑事は処置なしといったふうに頭を掻《か》き、何か思い出したら連絡してくれ、と言い残して病室を出た。

眠くなかった。

半身を起こし、テレビを点けた。

不思議なものだと思った。過去の記憶が失われているのに、リモコン操作はスムーズだ。

画面にニュースが映った。破壊された福島第一原発だ。刻、一刻、映像が流れてゆく。

だがこっちの時間は止まっている。

——知っている……——

ある場面で、ふっとなにかがよみがえり、息を呑んだ。テレビを食い入るように見つめた。記憶のどこかに、原発の映像がかちりと引っ掛かっている。たぐり寄せられるかもしれない。

思い出したのは大地震だ。

——東北に大地震が起こって、原発が壊れた——

何かが通じたようだが、そこまでだった。男は気分を変えて、自分の服に執着していた。着れば、何かが形になって現われそうだった。

点滴を外して段ボール箱を開け、のろのろと服を身に着ける。片足だけの靴も履《は》いてみた。

しばらく自分を見おろしていたが、記憶は死んだままだ。

無造作にジャケットの内ポケットに、手を突っ込んだ。

指先に何かが触った。取り出してみると、折り畳んだ紙だった。

不審げに広げてみる。粗末なコピーだった。

皺《しわ》くちゃだが、読めないことはない。

謎の歌舞伎座チラシ

読みはじめると、ドアが開いた。

「点滴の補充で～す。あら……」

足取り軽く飛び込んできたポニー・テールの看護婦が、眼を丸くした。

「だめですよ、勝手に点滴外しちゃ」

男は病院着に着替え、ベッドに戻った。手に持ったコピーに目をやる。

「何、読んでるんですかぁ？」

「ポケットにあったやつです」

「あら、そんなもの残っていました？」

屈託のない顔で覗き込む。

「へー、よくこんな虫の這《は》ったような筆文字、読めますね。何て書いてあるのかしら……」

男は、声を出して読み始めた。

〈江戸城明渡《あけわたし》八大政《たいせい》の奉還《ほうかん》を伴ひ、大日本史上特筆すべき事蹟《じせき》として、而《しか》も世界文明史中の、一大記録たるや言《げん》を俟《ま》たず。

なお且《か》つ、江湖《こうこ》市民《しみん》の間《あいだ》に、然《さ》しも印象を深からしめ、以《も》つて聖壽《せいじゅ》の萬歳《ばんざい》を謳《うた》ひ、天《てん》長《ちょう》の無疆《むきょう》を祈るもの、獨《ひと》り江戸城明渡の五文字に胚胎《はいたい》するにあらざるとせんや〉

男の声は、どっしりとして落ち着いている。

〈前年市にあつて、奠都《てんと》五十年祭の行《おこな》はるるを期し、當座《とうざ》に於《おい》てハ、市民の記憶になほ新《あらた》なる江戸城明渡を上　場《じようじよう》せんとす。

偏《ひとえ》に、かの主旨《しゆし》に出《い》でざるものにありしが、準備其他《そのた》便宜上、超えて彌《いよい》よ當《とう》五月興行の舞臺《ぶたい》に出演せしむ。

真美を描くハ作者高安月郊《たかやすげつこう》氏の筆力、情趣を寫《うつ》してハ座附《ざつき》俳優一派の技能、盖《けだ》し大正戊《ぼ》午劇壇《ごげきだん》の偉観之《いかんこれ》に勝るものあらんや。

錦旗日東《きんきにつとう》に輝き、天恩四海《てんおんしかい》を普《あまね》き國民的演劇江戸城明渡を観《み》て、當年《とうねん》の史實《しじつ》に熱誠《ねつせい》の血《けつ》涙《るい》を濺《そそ》ぐは誰ぞ。

大正七年五月　歌舞伎座〉

「わー、すごーい、すらすら読めちゃった」

点滴を替え終えた看護婦は、嬉しそうに男の顔を眺めて、妙なことを口にした。

「ひょっとして患者さん、古文の先生だったんじゃないですか？」

その一言に、思いがけなく昂《たかぶ》りを覚えた。その類《たぐい》であろうか、たしかに古文の目利《き》きのようである。

「きっと、どこかの先生ですよ」

――先生……――

言葉が心に落ちた。しっくりいく。

今まで先生と呼ばれていたのではないか？　頷けぬでもない。

「そうですよ。だって、こんなのぜったい普通の人は読めないですから」

看護婦は、首を傾《かし》げて興味深そうにコピーを覗く。

「この写真、誰ですか？」

チラシの上部に右から西郷隆盛《さいごうたかもり》、徳川慶喜《とくがわよしのぶ》と勝海舟《かつかいしゅう》が並んでいる。

三人の名を告げて、男ははっとした。

「まさか……」

男は、写真を食い入るように見た。

「どうかしたんですか？」

「おかしい……」

「おかしいって？」

「西郷隆盛の写真は、公《おおやけ》に存在しないはずです」

チラシ・コピーの年を確認した。

大正七年（一九一八）。西郷は四〇年前に死んでいる。

「先生、いやだぁ」

看護婦が無邪気に反論した。

「私でも知ってますよ、西郷さんの写真。有名じゃないですか。上野に銅像だってありますしね。私、彼氏といっしょに見ましたもん」

「あれはね」

テキパキと動く、白い制服を見ながらしゃべった。

「想像の産物です」

「想像って？」

看護婦は意味不明だという顔で、手を止めた。

大正七年の歌舞伎座公演を告げるチラシ。右端の顔写真が西郷として掲載されている。

西郷の写真は一切ない。それを現存しないと表現していいかどうか分からないが、とにかく世間の眼に触れる写真はなく、専門家の間では、つまり現存しない。

写真嫌いだったという説、あるいはテロ暗殺を防ぐべく、顔を知られぬよう、弟子たちが写真を処分した、という話も伝わっている。

よく見かける西郷写真は、肖像画だ。

描いたのは、イタリア人の彫刻師、E・キヨソーネである。その似顔画を基《もと》に造ったのが、上野にあるブロンズ像だ。

男はそのことを看護婦に説明した。年甲斐《としがい》もなく熱が入り、あっぱれなほどすらすらと口をついて出る。

キヨソーネは、明治政府のお雇い外国人だ。

来日は一八七五年(明治八)。すでに西郷は、鹿児島に籠《こ》もっている。政府軍との闘い、いわゆる西南戦争に敗れて自刃したのは、その二年後の一八七七年(明治一〇)だが、キヨソーネが西郷本人に会った形跡はない。

では、どのようにして肖像画を捻《ひね》り出したのか?

二人の近親者だ。

西郷隆盛の弟、西郷従道《つぐみち》と従兄弟《いとこ》の大山巌《おおやまいわお》。較べてみると肖像画は、眼元を従道からいただき、顔の輪郭や鼻、口は大山巌を使っている。

世間の記憶は弟と従兄弟の合体、見事なまでに架空の産物だ。

「へー、信じられなーい」

興味のない、声音《こわね》で言った。ポニー・テールを触りながら、退屈しのぎっぽく質問を重

キヨソーネ画の西郷

西郷従道（眼元）　**大山巌（口元など）**

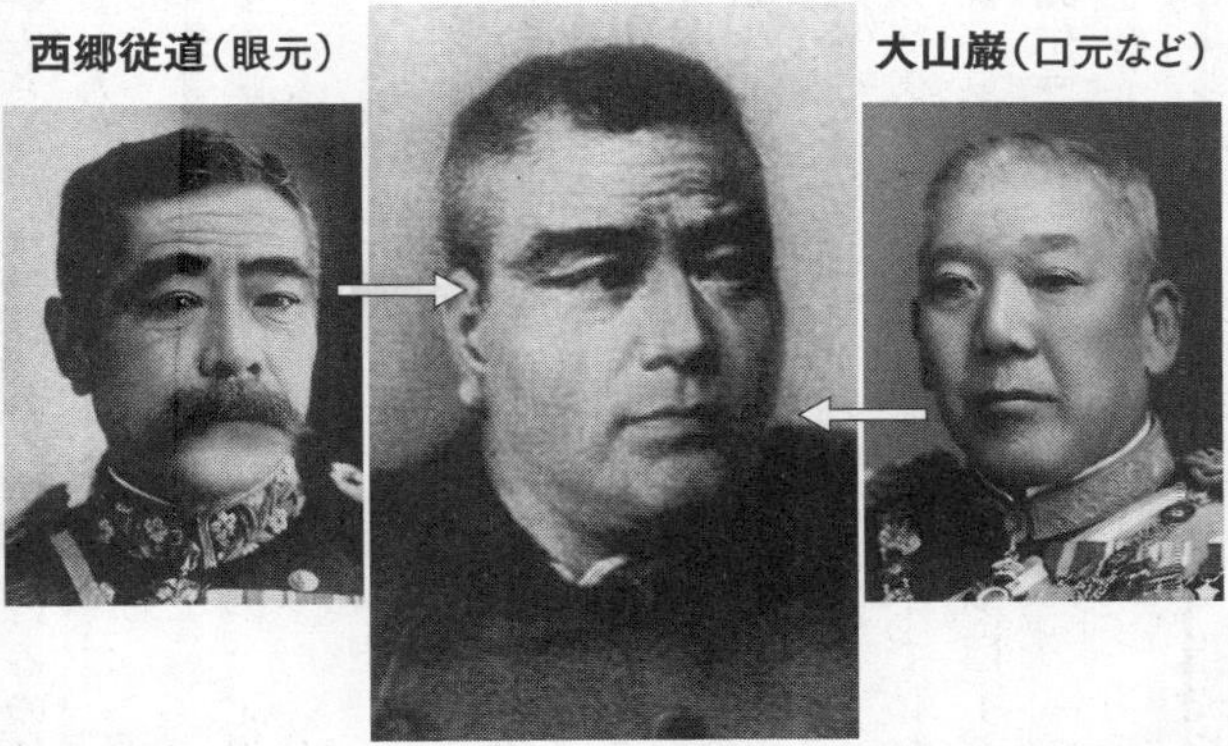

弟の西郷従道、従兄弟の大山巌。お雇い外国人技師キヨソーネは、西郷の近親者から“パーツ”を取り出して肖像画を描いた。

ねてきた。

「でも、そのキヨソーネさんが描いた絵は、実物に似てるんじゃないんですか？」

「かなり違うと思います」

「違うのに、どうして誰もクレームをつけなかったのかしら」

疑問を一つ残して、看護婦は病室を去った。

男は、チラシの写真を穴のあくほど見つめた。

勝海舟、徳川慶喜は本物だ。

西郷隆盛と書かれた男は西洋人顔で、見ようによっては本物の外国人に間違えるほどだ。

——待てよ、見覚えがある。この男はたしか……——

「ユカさんがいれば、意見が聴けるのになぁ……」

と一人呟く。

「あっ」

その瞬間、遠い所でさ迷っていた記憶が、ばっと飛び込んできた。

復活

翌日、桐山《きりやま》ユカが迎えに来た。

「はい、デパ地下で買った好物の粒餡《つぶあん》豆大福」

望月真司《もちづきしんじ》は、嬉しそうに顔を崩した。

「僕の記憶喪失は糖分の欠乏が原因だね、きっと……」

「でも、もう食べていいのかしら」

「大丈夫です。今朝はすでに白米でしたから」

粒餡豆大福に、さっそく手を伸ばす。

「先生」

「うん？」

「はい、ウェット・ティッシュ。指先を拭《ふ》いてください」

桐山ユカ。中学校の歴史教師だ。まだ若い。

望月が唯一、気を許せる相手で、歴史探索の相棒だ。

大学時代はバレーボールの選手として鳴らし、そんじょそこらの男より背が高いのだが、立ち居振舞いにおっとりした雅《みやび》な品がある。

他人に訊かれたら相棒ではなく弟子と答えているが、気持ちは相棒だ。

アジサイ色のシャツ、浅葱《あさぎ》色の麻のロング・スカート、いつものごとく爽《さわ》やかだった。

望月はウェット・ティッシュで念入りに指先を拭き、子供が母親に許しを得るように、両手を広げて突き出した。

豆大福を頰《ほお》ばる。

「記憶を失った焦りは想像以上です」

擦り傷の癒《い》えない顔を、もぐもぐと動かしている。

「ユカさん、病院代、頼めますか。なにせ財布も失《な》くしてしまって……」

ユカの中学校は、東京は山手線の内側だ。

わざわざデパートに立ち寄って好物の大福を仕入れ、それからいわきくんだりまで足を運び、そのあげく入院費の立て替えである。それでも嫌な顔一つしないユカ。望月の胸に熱いものがこみあげてくる。

「でも先生、肝心なことを言わせてください」

改まった口調で言った。

「抜けがけはだめです」

「えっ？」

「一人での取材が安全だと思いますか？」

「……」

「記憶が戻ったからいいですけど、一歩間違えば……」

律儀に付け加えた。

「どうしても一人でと言うなら、今度は必ず、行き先を告げてください」

「あぁ……はい」

「隠密行動はダメです」

格別な口調で続けた。

「隠し事があると、人は協力を拒《こば》む心理が働きます」

「ユカさんの協力はこの先もずっと必要です」

「宿泊先も伝えてくださいね」

「なにっ」

望月は大福を呑みこんで、しぶしぶ頷く。

「本当に分かっているのですか？」

「なんだか子供扱い――」

「先生は子供です。この世には、言論の自由を認めない人たちがたくさんいますよ。先生を取り巻く雲行きは、怪しいどころではなくって、包囲網が狭まっているような気さえします」

「大袈裟ですよ」

「脅すつもりはありませんが、以前だって刺されたじゃないですか」

「ええ、分かってます」

腿《もも》の痛みを思い出し、しかめっ面で答えた。

「取材予定を事前に知らせてください。メールで結構です。ホテルに入ったら、入ったと連絡していただけますか？」

「そこまで……」

「はい」

澄まし顔で応じた。

「そうは思いたくありませんが、今回も事故とは思えません」

近年、たしかに何もなかった年はない。問題は、仕事をやめられないことだ。

この歳になれば、生きているだけでありがたいはずだがそうはならず、気がつけば限度を超えた危険な未知の領域に身体が勝手に飛び込んでしまっているのだ。

で、取り返しのつかないことになる。

話をそらした。

「ユカさんの顔を見たから、ほら、もうこのとおり。罪なくらい元気になりました」

望月は、残りの大福を持ったまま腕に力コブを作った。

「無理はだめです」

と言ってから、急に怪訝《けげん》顔になった。

「でも、先生、今回は何をしに？」

望月は、首根を軽く叩《たた》いた。

「それが、よく分からない」

「……」

「実は、肝心の部分の記憶が戻らなくって……」

ぼんやりと天井を見上げる。

「僕の旅の動機は、いつも真実の採集です。ですから今回もそうに違いないのですが、覚えているのは上野から常磐線の電車に乗ったところまでで……そしてこの病院です」

「福島原発の取材、ということはないですか？」

「専門外ですから、それは考えられません」

〝本物〟に酷似した男

ユカに送られアパートに戻ったのは昼過ぎだった。

まだ完璧ではない身体をベッドに横たえ、少し眠った。目覚めた時には、ユカの姿はなかった。

テーブルの上に夕食が載っており、メモ書きがそえてある。

〈お口に合いますように！　ユカ〉

胡麻《ごま》豆腐、野菜の煮付け、鯛の塩焼き、トマトの入った味噌汁……。

優しい心遣いが、テーブルに並んでいた。

早目の夕食を終え、茶を淹《い》れて一服した。

まだ陽は高かった。胃袋だけは満ち足りた気分で、ベランダから射し込む陽光に目を細める。

ポケットに折り畳まれていたチラシ・コピーを手に取った。入手先は不明だが、何かの道しるべのような気がしてならない。

大正の匂いが漂《ただよ》っている。

『江戸城明渡』。

チラシそのものは本物だ。だが、載っている写真の西郷はニセである。ニセだと断言できるのは、以前、数回目にした見覚えある西欧人顔の男だからだ。

名は思い出せない。大福に夢中になっていたのだろう、今ごろユカに訊けばよかったと後悔する。

主催者の「大正戊午劇壇」に注目した。

戊午の年は、一九一八年（大正七）だ。

明治維新からきっかり五〇年の節目だから、「文明開化五〇周年特別企画舞台」といったところだ。

ぼんやりしていると携帯が鳴った。

週刊誌記者の松藤大介《まつふじだいすけ》だった。

「おや、どうしました？」

ソファーに身をあずけ、望月が鷹揚《おうよう》に出る。

「先生、カメラマンの馬場《ばば》さんとは、ツーカーですよ」

「馬場さんが言っていましたよ。先生がまた、珍しいお宝写真を手に入れるって」

「はて……」

「とぼけないでくださいよ。馬場さんいわく、今まで見たこともない幕末ものが手に入るはずだから、今度一緒に鑑定しないか、と先生に言われたって」

記憶なしのブラック・アウト。事故の前の会話だろうか？

入院騒ぎについては触れずに、なんとなく調子を合わせた。

「よかったら、僕にも見せてくださいよ、お宝写真」

「えっ？」

「ひょっとしたら、我が誌のグラビア候補になるかもしれませんし」

「かわい子ちゃんタレントの方が、ずっとましだと思いますがね」

「先生、あれはもうダメですよ。最近の若者は草食系が多く、女の裸にも反応しません。だいいち週刊誌を読まないんです。頼りはずばり団塊の世代。となると、歴史秘蔵写真は見逃せません。グラビアの王者です。最近のメディアはお笑いとアイドル一色ですから、団塊世代は知的物件に飢えているんです」

「しかし、お宝写真と言えるかどうか……」

望月は、目の前の歌舞伎座のチラシ・コピーに眼をやった。

会ったのは有楽町《ゆうらく》の喫茶店。全席が禁煙で、喉が弱い望月にとって空気の澄んだ店は貴重だ。

「どうでしょうねえ……」

松藤大介が、テーブルの上の二枚の写真をさかんに見較べている。

一枚は歌舞伎座チラシの西郷。もう一枚は、望月が西郷隆盛と比定している『フルベッキ写真』の中の大男である。

「較べようにも、こう不鮮明では……」

望月が諦《あきら》めたように顔を上げて、歌舞伎座チラシの西郷を指で押さえながら言った。

「そこそこ名の売れた歴史上の人物ですが、そいつが誰かとなると、まだ思い出せない。しかし……」

望月は、鼻の傷をさすった。

「歌舞伎座チラシが別人となると、妙な問題点が浮上する」

「……」

「チラシを作った年、すなわち一九一八年（大正七）という年に注目してください」

「それが、どうかしましたか？」

「西郷が死んで、四〇年です」

「つまり？」

処理しきれない顔をした。

「想像してごらん。ナマ西郷を目撃している人間は、全国のあちこちで暮らしています。たとえば二〇歳で西郷さんに会った人は六〇歳です。生き証人が耄碌《もうろく》するにはまだ早い」

「ええ」

「ええって、気付きませんか」

「はあ……」

「数々の証言によれば、西郷の顔は実に特徴的でした。遠目に見ても判別できるほどで、一度会ったら忘れたくとも忘れられない、強烈の一言です。それほど鮮明な顔を眼に焼き付けている人が大勢いる時代にあって、はたして歌舞伎の舞台公演チラシに、これが西郷だ！　とニセモノを堂々と掲げるでしょうか？」

「あっ、なるほど」

ようやく気付いたのか、大介が首をさすって付け加えた。

「西郷と言えば士族の英雄です。でたらめ写真は出せない……。ということは本物……」

望月は、チラシ写真をトントンと突いた。

「本物か、もしくは本物と見間違えるくらいのそっくりさんで、チラシ制作者にはどこからもクレームが来ない自信があった」

維新の三傑、西郷の人気は抜群だ。

鹿児島だけではなく、東北でも莫迦受《ばかう》けだ。

人気の理由の一つは西郷の優しさである。

最後の最後まで官軍に歯向かった奥羽越《おううえつ》列藩同盟屈指の精鋭部隊、庄内藩《しょうないはん》（山形、一七万石）にすら厳罰を与えず、討ち首にしてもよい藩主酒井忠篤《さかいただずみ》を救い、処罰どころか明治政府の兵部省《ひょうぶしょう》に出仕《しゅつし》させたほどの温情を与えている。

救われた庄内藩士はその寛大な処理に男泣きに泣き、西郷を慕《した》った。

中には明治になって薩摩へ留学する者さえ現われ、西南戦争勃発のおりには、西郷に殉教志願した者も多々見られたという。

西郷の亡霊は生きている。崇拝者、心酔者の定量化はできないが、万の数ではきかない。

そんな中である。神様、仏様と崇《あが》める人物のインチキ顔を載せれば、こじれるどころの騒ぎではない。望月は当時の雰囲気を感じとっていた。

「大正時代とはいえ、英雄を冒瀆《ぼうとく》すれば無礼討ちの気運は残っています。それに、芝居小屋は天下の歌舞伎座、沽券《こけん》にかけてもでたらめな写真は載せないはずです」

フルベッキ写真の「西郷」と「チラシの男」を比較すると……。

「ということはやはり、写真は本物か、だれもが疑わないそっくりさん……」

深く同意した大介は、コーヒーを呑んでから訊いた。

「でも先生、この時すでに一般的に知られている肖像画がありましたよね」

「キヨソーネの？」

「そうそう、このチラシの写真とはまるで違います。その辺のところをどう、とらえたらいいのでしょう」

「鋭い質問です。しかしだね」

望月はこの真剣な疑問が嬉しかった。

「本物の西郷を知る人たちには、キヨソーネのマンガ絵など噴飯《ふんぱん》ものです。だからこそ、このチラシでもキヨソーネの画は使わなかった」

「そうなると、上野の西郷像もだめです

ね」

「論外です」

望月が断定的に結論付けた。

「歌舞伎座のこのチラシ写真こそが、許容範囲だった。そう考えるべきです」

望月は、少し気分を変えたくなって紅茶に、持参した蜂蜜《はちみつ》をたらした。

粒餡豆大福が思考のエネルギーなら、蜂蜜は霊感の源《みなもと》だ。掻き混ぜて呑む。蜜が、じわりと魂《たましい》に沁《し》み込んでゆく。


今日に限って、人の出入りが多かった。それでも、比較的ゆったりとスペースをとった店なので圧迫感もザワザワ感もない。

「なぜキヨソーネは」

大介が別の角度から訊いた。

「似もしない西郷さんを描いたのか？　そっちの方も疑問です。腕が悪かったとか？」

望月はティー・カップをゆっくりと置き、言葉を選んだ。

「それはない。言ってみれば結界《けっかい》です」

「結界？」

仏教用語に、大介は眼を丸くした。

「明治政府が、目くらましの結界を張ったわけです」

「どういうことです?」

「キヨソーネというのは政府のお雇い外国人、上層部にそっくり抱えられている」

イタリア人だ。

銅版画で腕を磨き、ドイツに渡って、紙幣製造にかかわっており、画家ではなく、技術職人だ。

明治政府が、近代紙幣製造に乗り出す。で、大量印刷をドイツの会社に依頼し、キヨソーネとの接点ができる。

政府は新通貨をなぜ親密な英国ではなく、ドイツに依頼したのか?

明治政府の指南役、フルベッキの指示だ。

オランダ系アメリカ人のフルベッキは、英国をライバル視し、日本から遠ざけたのである。

「英国に頼ると、国を乗っ取られますぞ」

岩倉具視《いわくらともみ》、大隈重信《おおくましげのぶ》とべったりのフルベッキはさかんに政府を煽《あお》った。

幕末維新では大立者であった英国も、混乱しはじめたヨーロッパ周辺諸国の対応に手いっぱいで、極東の小国に目を向ける余力はなくなっている。フルベッキはそこを突いた。

あらゆる分野で邪魔をしたが、当の英国も淡泊すぎるほど新生日本にこだわらなかった。

どさくさにまぎれてフルベッキは英国医学を脇に押し退《の》け、代わりにドイツ医学ドイツ哲学を後押しした。農業もアメリカ式を導入し、好き放題の独壇場となる。

明治政府は、新紙幣のデザイン画職人としてドイツにいたイタリア人キヨソーネに白羽の矢を立てることになる。

月額四五四円。今の金額でざっと一〇〇〇万円。

人も羨《うらや》む高給だ。当時、鹿児島医学校校長のウィリアム・ウィルスが六〇〇円なので、お雇い外国人としても破格だ。大盤振る舞いには、必ず裏がある。

そのことは後で触れるが、キヨソーネが日本の仕事に打ち込んで彫った印紙、切手、証券、国債は五〇〇点を超え、三〇〇〇円の退職金を貰《もら》ってリタイアし、生涯年金は一二〇〇円。

これほど貰えば、誰だって居心地がいい。キヨソーネは夢のような日本を離れず、麹町《こうじまち》で息を引き取り、青山《あおやま》霊園に眠っている。

「明治天皇の肖像画もこの男の仕事です」

望月の台詞《せりふ》に、大介はちょっと驚いた顔をした。

「それを写真に撮ったものが『御真影《ごしんえい》』として下賜《かし》され、その顔が明治天皇に対するイメージとなって、国民は整形顔を信じるようになる」

「すると明治天皇と西郷隆盛の共通点は、キヨソーネですか……」

「食わせ者です」

大介が、笑いもせずに訊いた。

「でも先生、どうして日本人の画家を使わなかったのでしょう。細かな作業は、日本人の方が得意だし、腕利きの画家はたくさんいたと思いますが」

「そこです。どうしてだと思います？」

大介は首をさすって、想像がつかないといったふうに溜息をつく。

普通に考えれば、おかしな話だ。

銅版画はまだしも、画家としてのキヨソーネの腕は決して高くはない。三流とは言わないが、せいぜい二流だろう。

明治政府は二流画家に、現人神《あらひとがみ》である明治天皇と、大日本帝国に牙《きば》を剝《む》いた当時の極悪人、西郷隆盛の二人の肖像画を委《ゆだ》ねたのだ。そして、キヨソーネには高給以外にも一枚描くごとに過分な大金を支払っている。

「ふーん」

謎だらけだ、という顔で大介はコーヒー・カップを手に取った。

「大介さん。人間は漠然としたイメージの中で暮らしています」

望月がしゃべった。

「特に明治時代はグレー・ゾーンです」

「ええ」

「都合の悪いものは隠す。という信念の上に歴史をいいように造ったのが、明治政府。岩倉具視と大久保利通《おおくぼとしみち》のビッグ2《ツー》は、朝廷という国民がまったく窺《うかが》い知れないエリアを乗っ取り、テーマパークのように作り替えました。天皇を神と偽《いつわ》り、国民をペテンにかけたわけです。僕の『幕末 維新の暗号』を読みましたか?」

「もちろんです。暗記するほど幾度も」

「では、フルベッキ写真に何を隠したか? そこに写っている明治天皇の秘密を知っていますね」

「当然ですよ」

心外だと言うように、芝居がかった口調で答えた。

「よろしい」

温かい目で見つめた。

「よく考えてみてください。明治天皇、そして西郷の面が割れると、フルベッキ写真の中の二人の正体がバレ、写真が真実をしゃべり始める。だからご両人の写真を可能な限り回収し、似て非なる肖像画を描かせてブラック・アウト状態にした」

肖像画偽造作戦

「写真」は読んで字のごとし、真《まこと》を写し出す。

望月は、テーブルの上の古写真を指先でずらした。

「フルベッキ親子と四四人の侍《さむらい》。明治政府にとって、まったくもってあってはならない写真でした」

どうにかせねばならない。

幕末維新の闇を知りすぎている英国には、これ以上奥に踏み込ませないようにし、何も知らない新参者のイタリア人を呼んだ。目くらましの第一歩だ。

「ニセ顔を描かせたわけですね」

「ええ、あの高給は口止め料」

望月ははっきりと断定し、大介と眼を合わせた。

「それともう一つ、おかしいことがあります」

「……」

「西郷は政府に牙を剝いた、いわば賊軍の大看板。そんな男の肖像画を、なぜ畏《おそ》れ多くも宮内庁御用達《ごようたし》の画家に描せたのか？」

望月は、考える時間を与えてから口を開いた。

「西郷は明治天皇の敵ですよ。自刃した西郷を天皇が憐《あわ》れんでいた、というのは真っ赤な嘘です」

「先生、それは定説ですよ」

「ほらもう政府の企《たくら》みが成功している。歴史の美談は造られるもの。何一つ鵜呑《うの》みにしてはいけません」

天皇が二年もの間、西郷隆盛の指導教育を受けたのは事実だ。

にもかかわらず、西郷切腹の報告を受けた天皇は、なんとも冷酷な勅書を下している。

〈戦《いくさ》賊巣《ぞくそう》を滅ぼし、巨魁《きょかい》を斃《たお》し、事まったく平定に帰すと朕《ちん》大《おお》いに懐《ふところ》を癒す〉（『明治天皇紀』第四条）

ようするに天皇は薩摩を賊巣と卑《いや》しめ、西郷隆盛を巨魁、つまり国を傾けた盗賊の大親分と罵《ののし》っている。

「この勅書の、どこに憐れみを感じます？」

大介が真剣に頷く。

「単刀直入に言えば、ざまあみろ、これで安眠できると西郷の死を喜んでいる。憎しみと満足感にあふれた文です」

「西南戦争の余韻《よいん》がまだ冷めやらぬ六年後、今度は巨魁で西郷の肖像画を、しかも政府肝《きも》煎《い》りの外国人技術職人が仕上げる。どう考えても奇妙な話ですが、なぜ日本人でなかったのか？」

「なるほど……」

「先生、そこです。僕の疑問は」

大介はコーヒーに口を付けた。

「目的は、西郷の偽造です」

「ですから先生、なぜ外国人の絵描きでなければいけないのです？」

「政府としては、制作過程で二つの危険に出くわします。一つはなぜ違う顔にするのか？明治政府の闇が、画家にバレる危険。もう一つは画家本人におよぶテロです」

大介は、また分からないという顔をよこした。浮かない顔である。

「政府は、西郷のニセ顔を、世間に焼き付けなければならない」

ここで間を置いた。少し自分で考える時間を与えたつもりだったが、大介はなかなか疑問が解けないらしい。

「フルベッキ写真、こいつが支配者には重く伸《の》しかかっている」

望月がゆっくりと説明する。

「一枚の写真とはいえ、そこには封印された即位前の明治天皇が写っているからです。バレれば薩長寄り合い政府などいちころ。で、回収した。しかし回収しても回収しても、写真が亡霊のように現われる。なにせ写っている人物は四六人。私蔵、複写を考えれば裾野は広い。ならばどうするか？　そう、そこに写っている天皇を天皇でなくし、西郷を西郷でなくする。そうすればごまかせる」

「……」

「顔を変える。瀬戸際で打ったのが――」

「ニセ顔肖像画作戦！」

「そのとおり」

まず四六人撮りフルベッキ写真を回収する。次に回収漏れに備えて、両人の顔を変えておく。ダブル・ブロック。そうしておけば、たとえ灰の中から『フルベッキ写真』が甦《よみがえ》っても、あれは明治天皇ではない、西郷ではない、と切り抜けられるという寸法だ。

実際、その作戦は思惑《おもわく》どおり成功した。

政府が四、五人の有名学者、二、三のメディアを動員し、偽物が本物だと声を上げさせる。それだけで充分だ。

何百人、何千人という生き証人が「肖像画は違う。他人だ！」と声を張り上げたが、偽《にせ》絵《え》で洗脳された世間が見事に「本物」を掻き消したのである。

虚を実に、実を虚に置き換える。人間の脳は脆弱《ぜいじやく》だ。特に暗記教育で思考脳がやられている日本人は流されやすい。

「偽造かぁ……でしたら日本人の画家は怖くて仕事できないですよね。相手が現人神や反逆の英雄ですから」

西郷隆盛を自刃に追い詰めたホン星《ぼし》は二人。岩倉具視、大久保利通だ。

その一人、岩倉が九人の刺客に襲われたのは一八七四年（明治七）だ。馬車がこけ、軽傷を負ったものの命だけは助かった。

残る大久保は、その四年後に暗殺されている。

命はいらんという侍崩れはうようよいる。戦争マニアもいれば、戊辰《ぼしん》戦争再現マニアもいる。偽りを描いた絵描きは、標的になる。

「その点、外国人はどうだろう。攘夷《じょうい》は終わりを告げ、外国人は文明国へ導く光明神とさえ崇《あが》め立てる変わりようだ。しかも外国人はドライだ。金額次第で、割り切ったものです。薄汚い仕事だとは感じずに、はい、はい、明治天皇は威厳を持たせた軍人風に、西郷の顔は弟と従兄弟のフュージョン画を描けばいいのだね、了解しました、請《う》けあいましょう。したがってあの二枚の画《え》には、魂がない」

キヨソーネは、天皇の肖像一点で二五〇〇円（今の約五〇〇〇万円）のお代を受け取っている。

たんまり稼いだカネで、日本の書画骨董《しょがこっとう》を買い集めるのだが、その数ざっと一万五〇〇

○点。現在はイタリアのジェノバ市立キヨソーネ東洋美術館に収蔵されている。
「作戦は成功し、肖像画が広まって、日本人は完璧に違う西郷と天皇の顔を胸に仕舞い込んでしまったわけです」

ようやく合点がいったのか、顔を緩《ゆる》めた。

「キヨソーネが偽装屋とは恐れ入りました」

「大介さん。明治政府は騙《だま》し上手ですよ。チャイナが鉄道事故車両を穴を掘って埋めましたが、日本はそんなバカなことはしません。仕掛けは巧妙です。写真とメディアが普及している今でさえ、原発の世論操作などは氷山の一角、そこかしこで行なわれている。まして当時は暗黒時代、何でもありです」

望月は紅茶を味わって、ぽつりと付け加えた。

「上野の西郷さんだって、ただの銅像ではありません」

「つまり……あれも明治政府が張った目くらましというわけですか？」

銅像の完成は明治三〇年、西郷の死から二〇年後である。

翌年の除幕式で銅像を目撃した西郷糸子《いとこ》未亡人は「こげなお人じゃなかったこてえ！」と辺《あた》りかまわず叫び、さらに「浴衣《ゆかた》を着て散歩なんてしていなか」と、抗議ともいえる言葉を吐き、周囲に諌《いさ》められている。

二つの明治天皇像。衣冠束帯姿の写真（左）と洋装（右・キヨソーネ画）

「違う！　と叫んだ話は僕でも知っているくらいですから有名ですね」

「あの像には明確な意図があります。裏に隠された思惑を読み解くのは難しくない」

浴衣は、大日本帝国陸軍大将・西郷が壊《こわ》れ、ぽんと突き出た丸いお腹を見れば、軍神、政治家といったイメージを持たない。ほのぼのとした田舎《いなか》のオッさんだ。

「でも先生」

大介が訊いた。

「銅像は西郷が死んで二〇年も後ですよ」

「時は、第四代内閣総理大臣、松方正義《まつかたまさよし》（一八三五～一九二四）の代」

「あれ……」

大介は、何か気付いたように腕を組み、細身の身体を反《そ》らした。

「松方は西郷と同じ鹿児島出身ですよね」

「ええ、れっきとした旧薩摩藩士です」

「つまり……」

いったんは分かりかけたようだった。しかし追った答えが遠のいたのか、改めて問い直した。

「なぜ、西郷の死後二〇年も経《た》って、わざわざ蒸し返すように造ったのです?」

「迎合的《げいごうてき》成り行き」

「迎合的成り行き……ですか……」

腕を組んで、望月は呼吸を深く一つした。つまり、こういうことである。

死んでもなお、衰えぬ西郷隆盛人気。

それにひきかえ、松方首相はさっぱりだった。日本銀行設立をはじめ数々の業績にもかかわらず、お膝元、鹿児島での人気はさっぱりで、いやむしろ、松方を見る目は穏やかではなかった。それというのも幕末での一件だ。

御船奉行添役《みふねぶぎょうそえやく》として、長崎のグラバー邸に入り浸《びた》っていた松方の仕事は軍船等を買い付けることだった。

ようするにケチな添役でありながら、維新のどさくさまぎれにたんまりと金を懐《ふところ》に仕舞い込んでいたのである。その噂《うわさ》がたたって松方の評判はかんばしくない。

カネにものを言わせて大久保利通、伊藤博文《いとうひろぶみ》にとり入り、伊藤ファミリーとして政界入りを果たしていたのである。

そんな成金が一八九一年（明治二四）、ついに第四代総理大臣となる。やっぱりというか、当然というか、札束椅子《さつたばいす》は脆《もろ》かった。

その上、松方は、二代前の総理黒田清隆《くろだきよたか》同様、西南戦争で大久保サイドに付き、西郷を死に追いやった薩摩武士の敵である。

西郷が、負け犬なら放っておけばいい。しかし単なる負け犬ではない。まだ生々しく西南戦争を引きずっており、禄米《ろくまい》と二本差しを取り上げられたあげく、食ったり、食わなかったり、ぽいと捨てられた武士の不満がまっすぐ西郷への崇拝につながっていた。侍崩れが、芋焼酎《いもじようちゆう》の臭い息を吐きながら今にも政界の戸口を蹴破って乱入しそうな気配。

まずい、などというものではない。四方から非難の火の矢が降りそそぎ、松方は崖っぷちの尾根を歩き続けていた。

西郷は不死身だ。うろたえる松方の前に立ちはだかっている。

鎮《しず》めなければならない。手厚く扱ってやらずばなるまい。

一八八九年（明治二二）二月、政府は西郷の賊軍巨魁呼ばわりを封印し、恩赦を与え、あまつさえ正三位を追贈した。

にもかかわらず一〇月、当時の外相、大隈重信が襲われている。実行犯は西郷隆盛を敬慕する玄洋社《げんようしゃ》の荒くれ国粋主義者だ。テロの嵐に止《や》む気配はなかった。

西郷は手ごわい。ちょっとやそっとのことでは無理だ。だから西郷なのだ。

大難を小難にしなければ、とんでもないことが起こって中央政府は瓦解《がかい》する。

で、そそられたのが銅像制作という人気取りの儀式だった。

賊軍大将の御機嫌取りなど、政府としては例外中の例外で、なんともマヌケな策略だが、銅像にすがった。

「面相は、できるだけキヨソーネの肖像画風にする」

望月がしゃべった。

「同時に、人のよいほのぼのとした小父《おじ》さんに仕上げたのです」

「なぜ、ほのぼのと?」

大介が不思議そうに訊いた。

「もし仮に銅像が勇ましき軍人像なら、西郷の放つオーラが旧武士たちをいたく刺激し、不穏な空気が漂《ただよ》います。つまり反乱の要《かなめ》となりかねない。西郷さんは平和でなければならない。とても武器を持って戦おうという気にはなれない和《やわ》らぎの像」

「なるほど……真実を隠し、かつ闘争心を抑え込む……」

大介が、聞き洩らすまいと慎重に耳を傾けている。

「銅像を造った時点で、旧薩摩藩士の多くは存命です。西郷と直接、言葉を交わしていた面々……税所篤《さいしよあつし》、仁礼景範《にれかげのり》、東郷平八郎《とうごうへいはちろう》、むろん弟の西郷従道もピンピンしています。共に薩長同盟で駆け回った土方楠左衛門《ひじかたくすざえもん》（久元《ひさもと》。土佐藩）も健在です。西郷本人は稀代の大男で印象的なルックスでしたから、周囲の記憶は強烈です。しかし、銅像完成後、彼らからの異論は聞こえてきません」

「どうしてです？」

「みな西郷を葬《ほうむ》った共犯者、制作意図は共有しています」

「あっ、そうか」

「印象に残る反論は、わずかに奥さんの驚きの叫びだけです」

　望月は話しながら、時を超え、西郷の孤独を感じた。

「似顔絵も銅像も別人だ、という囁《ささや》きがあちこちに木霊《こだま》している。噂は細くはなったが、しかし絶えることなく現代にさえ届いている。噂は常に大袈裟です。しかし西郷の場合は噂どおりでした」

　身を起こして、テーブル上の歌舞伎座の宣伝チラシを突いた。

「本物はこの写真の顔に近かった。だからチラシにしたのです」

　断定的な口調は、歴史作家望月の円熟の結論だった。

　肖像画、そして上野の銅像、目くらましの結界で国民の脳は欺《あざむ》かれ、真顔は歴史に葬られたのである。

銅像の完成は一八九七年（明治三〇）だ。

作は高村光雲《たかむらこううん》。

ピンとこないかもしれない。しかし、かの「僕の前に道はない　僕の後ろに道は出来る……」で有名な、高村光太郎《こうたろう》の父親だと言えば心にストンと落ちる。

西郷隆盛が死んだ時、光雲は二五歳だ。制作にとりかかったのはその二〇年後である。

必死になって、本物に近づこうとするのが、プロであろう。生の被写体が拝《おが》めなければ、せめて写真を捜し出すか、あるいは生前西郷と親しくしていた人物と会って、印象を聞き出すことくらいはしたのではないだろうか。

本物志向こそがプロだが、政府の要求は違う。

誇りを捨て、光雲は、ひたすらキヨソーネの絵の再現を試みる。

西郷の崇拝者は怒るだろう。が、本人がこの世にいない以上、しかたなしにキヨソーネの肖像画から像を造ったと言いわけすれば、光雲にテロの刃《やいば》は向けられない。

「大衆の心をあやつれ！」

銅像は政府の要望を背負っている。

光雲は、そうしなければならないポジションにいた。

東京美術学校の主任教授とあっては、キヨソーネ同様、明治政府丸抱えだ。

光雲は、あの皇居前広場の南朝の英雄、巨大なる楠木正成《くすのきまさしげ》像をも手掛けている。二つの像を考えれば、何かを感じるはずである。

「似ていないという風評にも一切口を閉ざす。沈黙も、光雲の立派な仕事の一つです。似せてはならない、かといってかけ離れすぎても役に立たない、という難しい作業を強《し》いられました」

望月はカップの耳をつまんで、少ない中身を覗いた。

「この銅像制作について、もう少し調べてみました」

視線を上げる。

「すると、浮かんできたのは妙な事実です」

「……」

「発起人が、とてもおかしい」

「誰ですか?」

「びっくりしないでくださいよ」

「ええ」

「吉井幸輔《よしいこうすけ》（一八二八～一八九一）」

「えっ?」

意外な名前に、大介は口をぽかんと開けた。

「西南戦争で西郷の敵に回った男が発起人ですか」

「はい、恐れ入った話ですが、裏が見える話でもあります」

吉井は西郷と同じ加治屋《かじや》町に生まれている。幼馴染《おさななじ》みだ。しかし吉井は西郷を捨て、大久保を選んだ。

「そしてここが肝心です。なんと吉井は発起人になった時点で、すでに墓の人なのです。八年も前にね」

「死んだ人間が発起人？」

望月が微笑《ほほえ》む。

「そんなことがありますか？」

「死せる吉井を、発起人にせざるをえなかった。考えてみてください。制作目的が目的ですから、誰もなり手がいません。死人を矢面《やおもて》に立たせ、責任の所在をぼかした。まあ、墓の中の吉井には、いい迷惑かもしれませんが、そこに政府の深い闇があります。『龍馬の黒幕』や『幕末　維新の暗号』でも、突きとめられなかった謎ですがね」

腕を組んだ時、望月のポケットの携帯が鳴った。

望月は耳に当て、小声で一言、二言話すとテーブルの上のコピー類を急ぐでもなく仕舞いはじめた。

「さぁて、そろそろ腰を上げる時間です。話の続きは次回、いささか疲れました」

望月は、鼻の頭の傷をさすった。

天皇という虚構

ベランダの窓が、外の風景を切りとっている。

背の高いモウソウ竹《ちく》が風にぴくりともなびかず、奥深くうっそうと群れていた。天から射し込む無数の光、そのまろやかな光を纏《まと》う竹林は、緑が目に鮮やかすぎるほどだった。これっきとした東京都内、それも山手線の内側である。

望月は居間にいた。

静かに目を開ける。

瞑想《めいそう》はいつだって望月を、ガラス一枚向こうの幽玄な竹林に運んだ。

鉄筋のアパート、二階に移り住んだのは去年のことだ。

この数年はほぼ毎年、居場所を変えているが、万が一を避けるためである。

人を殺したくなる心理はいまだに理解できないが、命を狙われていることは理解している。思い直すまでもなく、危険がつきまといはじめたのは『幕末 維新の暗号』の取材開始当時だった。

最初、脅しは手紙でやって来た。続いて電話、ついには菊池《きくち》という坊主頭の大学教授が現われ、「お命を粗末になさらぬよう」「舞台から降りたらいかがか」などと、自分の喉を撫《な》でながら脅した。

望月は折れなかった。

ところが読みが甘かった。

ほんとうに危ない組織の標的リストに載せられたのである。永久保存版でないことを祈るばかりだが、生まれるのも一度、死ぬのも一度、一度きりの人生に気後れはなかった。ピリピリムードもやがては慣れるもので二、三週間でなくなった。

どうせならハニー・トラップにしてもらいたいところだが、けしからんことにやって来たのは南梟団《なんきょうだん》という野暮天《やぼてん》だ。

実態は不明だ。分かっているのは、南朝天皇を熱狂的に崇拝する凶暴な連中だということだけである。政府の意志は、彼らの野放しであろうと判断した。

いきなり刺された。ナイフの先がこちらに向かってくるというのは、襲われた、という以上の戦慄である。

恐怖はその後の判断を誤らせる最大の障害物だが、望月も人生のベテランだ。血を流し、一五針も縫ったくせに、心の手負いにはならず恐ろしいという感覚は、そう長くは留まらなかった。

決して年齢による記憶力の低下ではなく、記憶に添付されたつまらぬ感情を、瞑想とある独創的な方法で閉め出したのである。

恐怖の切断は望月の特技で、南梟団によるオドシはいまのところ失敗している。

望月は天皇制に反対したことはない。

賛成、反対以前に、健康、自由、平和に生きる人間として現在の天皇制があまりピンとこないだけだ。

たとえばあの人物が、天皇だと誰が決めたのか？　という素朴な疑問がある。

選挙で決めたのか？　内閣で任命されたのか？

そうではない。法的に考えても不明で、合理的な根拠はどこにも見出せない。

根拠らしきものはといえば唯一、いわゆる『万世一系』という歴史だろう。

しかしその歴史が大問題だ。薄弱どころではない。でたらめに近いのはどんな歴史学者でも知っている。

まず出発点からして不明だ。

出身民族、征服状況、建国時期、ぜんぶ分からない。

たとえば第一回遣隋使《けんずいし》は、六〇〇年に派遣されている。

日本がまだ倭《わ》国を名乗っていた時代だ。

倭国の使者は隋の役人に面会し、倭王の名前をはっきりと述べている。

姓は阿毎《アマ》、字《あざな》は多利思比孤《タリシヒコ》、号は阿輩雞彌《アホキミ》である。

隋の皇帝、高祖《こうそ》は、倭国の使者に対して上から目線で、奇妙奇天烈な政治のやり方を改めさせるのだが、問題は倭王の名称だ。

天皇ではなく、アホキミだ。

アホキミは大王《オオキミ》のことのようである。ようするに天皇ではなく、大王だった。

このことは何を意味するのか？　六〇〇年に天皇は存在しなかったということだ。

その頃「キミ」と呼ぶ王はたくさんいて、「アホキミ」（大王）はその代表者、すなわち連合国家の頭だと考えるのが合理的だ。

したがって古代の書に出てくる「〇〇のキミ」という名は、小国の王だと推測できる。

『魏志倭人伝《ぎしわじんでん》』を思い起こして欲しい。

邪馬壹国《やまいこく》は三〇を超える国を束ねている。今のヤクザ組織を研究すればイメージが摑める。

たとえば山口組《やまぐち》だ。何百という組の連合体で、それぞれに親分がいる。彼らは対立と共生をくり返す。他勢力には住吉会《すみよし》などがあり、全国を住み分けている。

国の形は動く。じっとしている暇はない。

しだいに連合が密になったり、薄くなったりしながら、小組のカネと兵を中央に召し上げ、小組の垣根を溶かしてゆく。

しかしまだ、内部にも外部にも気を抜けない勢力が存在し、虎視眈々《こしたんたん》と親分の座を狙っている。

安泰ではない。

大王は神を自分の先祖にしている。

世界中で行なわれた統括システムで、神なら誰も逆らえない。

自分だけを神につなげる心理作戦。

大王の系譜を由緒正しくデッチ上げ、同時に大国隋に理解を求め、認めてもらう。

大王が頭一つ抜きん出たとはいえ、列島には複数のライバルが競っていて、立場は常に危うい。そのためには大国チャイナのお墨付きが必要なのである。

認めてもらえなければ、銅銭通貨が入手できないし、ひょっとしたら人的、武力的バックアップも得られるかもしれない。

理解を求めに出向いたということは、これまで幾度か使者を送ったが理解されなかった経験があるからだ。以前、倭国を名乗った大王とは、また別の一派の王なのかは分からないが、信じてもらえなかった苦い経験があったからこそ、正統性を書き綴《つづ》った書類を整え、使者に持たせたのだ。

正統化の動機は、常に一つだ。

正統でないからである。

もともと正統なら、わざわざ正統だと証《あか》しを立てる必要はない。いかがわしい新顔は、つい力を入れてしまうものだ。

まず国内の足元を固める。『古事記』『日本書紀』で倭国の王だと証明すべく履歴を漢字で整える。

「天下公民」「現人神」「高天原《たかまがはら》」……幾多の用語が造られる。

天照大神《あまてらすおおみかみ》が日本を造ったという、寄せ集めのちぐはぐなトンデモ話で自分とつなげ、ついには天皇と名乗った。

「天皇」の発明だ。

『万世一系』。

天皇が神の子で、幾代も幾代も連綿と現代まで血がつながっているなど、本気で信じている学者はいない。いたとしたら学者ではない。頭のいかれた狂信者だ。

北畠親房《きたばたけちかふさ》（一二九三〜一三五四）が残した『神皇正統記《じんのうしょうとうき》』には、面白いことが記されている。

公家の北畠は、後醍醐《ごだいご》天皇亡き後の南朝の中心人物だが、そこには〈武烈《ぶれつ》天皇、称徳《しょうとく》天皇、陽成《ようぜい》天皇など悪名高き天皇の家系は断絶し、徳のある天皇にとって代わった〉と書かれている。

南朝のトップでさえ、天皇が三度断絶したと言ってはばからないのである。数え出したらきりがないほど寸断されているのは、歴然とした科学的事実だ。

『万世一系』は虚構である。

支配者は自分の弱点を補強しようとする。そう、『万世一系』が、潔白でないから強調したのだ。

誤った主張なら、さらなる主張で応《こた》えるのが近代国家だが、この国は違う。「不敬」という処罰がふりかかってくる。「不敬」が科学や事実に打ち勝てる奇形の民主国家で、真実を求めたいという人間として当然の声が無視、差別、侮蔑、暴力の対象となる。

なぜなら官僚システムが脆《もろ》くなるからだ。天皇を自分たちのトップに据えている限り、安泰だと考えている。

前近代的な「不敬」と大真面目な「儀式」で民間をグイグイと押し込んでくる。

国民はその愚弄《ぐろう》に怒らず、沈黙するどころか、メディアはかえってありがたがるばかりで、思考を持たない。

望月は、自分でも意外なほどタフだった。

数々の妨害工作をすり抜けて生まれた『幕末 維新の暗号』は、密《ひそ》かに政治家、財界人、学者、知識人……骨太の読者に読みつがれ、発売から八年経った今でも地道に増刷を重ねている。闇のロング・セラーだ。

望月は特定できない人物に呼び出された。


〈病院で無事を確認、不覚でした。では、写真渡しはXで。

沈黙の抵抗〉

望月のツイッターに送られてきた短文だ。

〈沈黙の抵抗〉、どこかで聞いたことがあった。

敵か？　味方か？

勘は食い付けと言っていた。嫌な感じはなかった。出たとこ勝負で、何とか突破できそうな気もした。

翌朝だった。望月は面会場所をツイッターで問いかけた。

カーテンを開けると、夜明けの薄陽《うすび》、窓ガラスに貼られた白い封筒をポツンと照らしていた。

何者かが竹林の向こうから二階のベランダに侵入した。〈沈黙の抵抗〉である。これで連中は、望月の居場所を知っており、こういうこともやる連中だということが分かった。

で、望月は大介との話の最中、ケータイで日時を告げられ中座《ちゆうざ》したのである。

指定場所は、新橋《しんばし》の古いオフィスビル。

四階フロア、『四一二』のノブに手を掛けた。

「あのー」

ドアを開けると、年輩の女子事務員が顔を上げた。

「はい、何か……」

「私――」

若い娘が三人、所在なげにソファーに座っていた。望月は場違いさに、言葉を止める。

「部屋を間違えたようです。失礼しました」

首を捻《ひね》りながら廊下で案内図をもう一度見直す。と、廊下の奥から若い男が歩いてきた。髪が短く、地味なポロシャツ姿だ。

小声が、すれ違いざまに聞こえた。

「こちらへ」

言われたとおり後に続いた。

若者は下へ降り、裏口からビルを出た。身のこなしは軽やかである。周囲にすばやく目を配りながら角を曲がり、三〇メートル先の店に案内した。

古い重い木製扉、大きな十字架の鉄が扉をさらに補強していた。

足を踏み入れたとたんに、ぷんと昔の匂いがした。

アンティーク・ショップだ。所狭しと置かれた年代ものの家具、置物、ショーケースに入った装飾小物の数々。浮世とはへだたった不思議な異空間、怪しさは濃厚である。奥にペルシャ絨毯《じゅうたん》で仕切られた入口があり、若者はそこを掻き分けた。

見覚えのない男が机の向こうで立った。

歳は四〇半ば、長身である。

望月は促《うなが》されるままにゆっくりと腰を下ろす。若者は中に入ってこなかった。

「奥田《おくだ》です」

「以前、お会いしたことが?」

「ええ、講演会場でお目にかかりました」

表情は温かい。もめごとを起こそうという気は、さらさらないようである。

「でも、よくご無事で……」

男は、望月が無事でなかったかもしれない、と思っていたのだ。

――なぜ、災難を知っているのだ?――

疑問より、用件を訊くのが先だ。

望月は曖昧《あいまい》に微笑んだ。ほんのわずかな沈黙で、相手の言葉を促した。

「早速ですが、これがお渡しそこねた写真です」

と机の引き出しを開けた。

──渡しそこねた？──

こいつも意味が分からなかった。しかし黙って写真のコピーを受け取る。

初めて眼にする古写真だった。一三人の侍が、望月の興味をそそった。

座り直し、凝視した。

真ん中の若侍の面影に見覚えがある。

──一二代薩摩藩主、島津《しまづ》忠義《ただよし》か？──

視線を全員に走らせた。

その瞬間だった。息を呑んだ。

「これは……」

望月の眼が、右端の侍に釘付けになった。

顔は精悍《せいかん》そのもので、胸の張り方、押し出しは尋常ではない。カメラを見据える視線も強烈である。

ただ者ではない。

望月の心臓が高鳴った。

「ご感想は、いかがですか？」

答えず凝視しつづける望月。似ている。歌舞伎座のチラシの男。そしてもう一人、フルベッキ写真の大男だ。

——ということは……——

「ひょっとしたら……」

「先生、やはり西郷隆盛ですか?」

望月は、視線を上げた。

右端の大男は何者なのか！　もしや……

若侍を中心に、カメラを見据える一三人の武士。いつ、何のために撮られたのか。
そして、ひときわ目立つ右端の男——謎解きの旅は、この写真を軸に続いてゆく。

2——南朝の亡霊

藩主と一二人の武士たち

望月はまた、視線を一三人の侍に戻した。

西郷隆盛がどうのというより、さしあたり配慮せねばならぬのは、写真の醸《かも》し出す雰囲気だ。

粗末な撮影スタジオである。同じ背景での写真を以前、別の本で眼にしたことがある。たしか長崎のスタジオではなかったか？　全員が羽織袴《はおりはかま》の正装だ。気軽な旅支度ではない。ならば正式な行事、厳《おごそ》かな儀式……長崎出張の目的は何だったのか？

「真ん中の侍は、誰だかお分かりですか？」

望月が訊いた。

独《ひと》りだけ椅子に座っている。若い。せいぜい二二、三歳といったところか。

望月が、すでに見当を付けているセレブ。

「薩摩藩主、島津忠義ではないでしょうか」

奥田が答えた。望月の眼鏡にかなう返答である。

「風貌は、とても似ています」

忠義は久光《ひさみつ》の長男だ。養子に出され、行った先は伯父《おじ》の一一代藩主斉彬《なりあきら》。忠義は薩摩藩最後の藩主となる人物。

望月が訊いた。

「他の面々は判明していますか?」

「いえ、そういうことには素人でして……ぜひ先生のお知恵を拝借したいと」

奥田は折り目正しく頭を下げ、付け加えた。

「フルベッキ写真へ傾けた情熱をもって、この写真を……」

「はあ……」

歯切れは悪かった。

フルベッキ写真は、いわば望月の宝だ。

いや、国の未来がかかっている、超弩級《ちょうどきゅう》の国家遺産、いや、いや、裁判もなく拷問《ごうもん》と処刑の世と、絶対的な階級差別という暗黒体制を壊した結社の写真なら世界遺産だ。

たった一枚が活写した驚愕《きょうがく》の真実は、国立国会図書館の奥に鎮座ましましている権威ある歴史本一〇〇冊、一〇〇〇冊が束になってかかっても勝てないほどのオーラを放っている。

知らない人が見てもたんなる武士の集合写真だが、見極める眼力をもってすれば、たちまちにして堰《せき》を切ってほとばしる驚愕の真実、よくぞ残っていたものである。

望月は面割りをほぼ終えていて、真ん中で子供を引き寄せ涼しげに正面を見据えるのは若き宣教師、ギドー・ヘルマン・フリドリン・フルベッキである。

フルベッキの前にいるのは、『幕末 維新の暗号』でくわしく書いたとおり、誰あろう即位前の明治天皇だ。望月はそう確信している。

保守に胡座《あぐら》をかく御用学者は、何の根拠もなくそれは別人だ、とお題目のごとく否定する。

それではその若侍は何者か？　と問い返せば、とたんに舌が動かなくなってしまうほどのへなちょこぞろいなのだが、彼らの理論に証拠などいらない。天皇陛下だから、そこにいるわけはない。それだけで充分だ、とイカれたことを繰り返す。

望月には揺るぎない自信がある。

天皇、フルベッキを取り巻くのは公家《くげ》、岩倉具視親子。藩主すら一目置く、稀代の大思想家、横井小楠《よこいしょうなん》ファミリーはじめ、後の明治政府の大物と思われる多士済々が打ち揃っている。

だから奇跡の写真なのだが、魔力を秘めるこの「四六人撮り」の一枚は、見れば見るほど望月の飽くなき探求心と想像力がこんこんと湧き上がってくる魔法の一品だ。

——それと較べると、こっちは小物のように見える……——

望月は、再びテーブルの写真に視線をやった。

しかし、何といっても異彩を放っているのは、右前方に平然と突っ立っているこの大男で誰にも媚《こ》びない。

──西郷……事実ならば、この写真を手掛かりに、さらに幕末維新の深淵を覗けるかもしれない……──

「お心に、かないませんか？」

古風な物言いに望月は、向き直った。

「その前に、少々お訊《たず》ねしたいのですが」

奥田の表情が、ほんの少しだけ警戒した。

「何でしょうか」

「〈沈黙の抵抗〉ですが」

望月は、いきなり核心を突いた。

「どういう組織ですか？」

奥田は意外な質問に動揺したのか、言い淀んだ。

何から言っていいのか胸に多くのものが去来しているようで、少しの間があった。姿勢を正して応じた。

「情報操作、世論誘導がこの国の政治です。それに抵抗する同志が身を寄せ合った会です」

続いて、言葉を選ぶように、しゃべった。

「国家は、自分たちの思い描く結論に国民を誘導してきました。そのテクニックは単純です。知るべきことを、国民に知らせず、都合のいいデータだけをさらに改竄《かいざん》して流すことだけ。困ったことに」

眉間《みけん》に皺《しわ》を寄せた。

「それをやられると人間は、強制されたとは思わずに、自分が判断したと錯覚します」

「優しく誘導されれば、押しつけられた気がしないのは心理です」

「ええ、日本人は自分の国を、実に民主主義的国家だと信じている」

「日本人は見ることはしますが、観察することは苦手です」

「思考ゼロ、ようするに莫迦《ばか》なのですよ」

言い過ぎたと思ったのか、すぐトーンを落として言葉をつないだ。

「原発は安全だなんて言っている連中だって、心から安全だと思っている者は一人もいない。原発周辺に一軒家を構える知識人なんて聞いたこともないですからね。本音はそんなものじゃない。カネです。政治家、学者、メディア、カネに群がる人でなしの、御託《ごたく》の大合唱で国民は落とせます」

多くの人は騙されやすい。

捏造《ねつぞう》、情報隠し。たとえバレても情報操作で捕まった政治家や官僚はいない、と奥田が苦笑した。

「我々は、そんな目くらまし国家に抵抗する集まりです」

「暴露組織、いやつまり、内部告発と情報のリークを請け負《うお》っていると？」

「同好会のようなものです」

ぽつりと言ったが、声は熱く熱を帯びている。

「奥田さん、〈沈黙の抵抗〉は、僕の住まいの敷地まで入ってきましたが」

不満を続けた。

「今一つ、あなたの顔が見えず、こうしていても落ち着かない。どこか一つ不安は拭《ぬぐ》えないというのが正直なところです。僕は秘密を守る作家です。教えてください。なぜ、こそこそとベランダへ？」

水を向けたが、奥田は逆に腑《ふ》に落ちない眼つきをした。

「先生の指示ですが」

「僕の指示？」

「覚えてないのですか？」

「……」

気持ちがもつれたが、相手はもっと困惑したようだった。

「今回のような危険をともなう連絡は、メールでのやりとりが禁止です。我々の掟《おきて》ですが、とりわけ先生のツイッター、メールは監視されており、ケータイも安心できない。そのご説明をさせていただいたところ、先生が、では裏の竹林を抜け、ベランダの窓に貼っておいてくれと」

――そんなことを……――

自分の記憶の有無にこだわらず、次を訊いた。

「つまり、〈沈黙の抵抗〉は、何かの実行部隊を持っているのですね」

奥田は、あるやなしやの頷きを見せた。

「その仲間が、失敗したのです」

「……」

「湯ノ岳展望台での……」

「湯ノ岳……」

望月は眉を上げた。刑事が口にした場所だが、ぴんとこない。曇った表情を見て、奥田はまた不審気な顔をした。

シラを切るのはやめた。訊かれる前に打ち明けた。

「実は、記憶が途絶えておりましてね」

「……」

「医者によればショックによる記憶障害で……本当のことを言うと、福島に行ったことすらうろ覚えというありさま」

記憶は昼前、一一時きっかりの上野発「スーパーひたち」に乗ったところで途絶えていた。

それが今は少し戻って、駅弁を食べながらうたた寝し、いわき駅に到着した後、タクシーに乗ったあたりまでは何とか思い出せるところまで来ている。

「そうでしたか……」

参考までにと言って、奥田は知りうる経過を順序立てて語りはじめた。

話によるとあの時も、今回と同様の連絡方法、つまり望月の指示で、ベランダの窓ガラスに落ち合い場所を記したメモを貼り付けたという。

会う目的は、「一三人撮り」だ。

渡す方も渡される方も反対勢力との軋轢《あつれき》、火種をあちこちに抱える身。万が一を考えて、場所は人気のない湯ノ岳展望台を選んだ。

奥田は、時間より一足先に行って待っていた。

ところが、待ち人来《きた》らず、望月は現われなかった。

調査の結果、望月が乗ったタクシーが判明。運転手を捕まえて事情を訊ねたという。

パナマ帽とステッキが目印だ。運転手ははっきりと覚えていた。

タクシーは望月に言われたとおり展望台を目指して向かったのだが、あと少しというところで通行止めになっていたのだとしゃべった。

作業服の男が立っており、ここから先はこの間の大地震の影響で地盤が弱くなっているが、徒歩なら大丈夫だという指示である。

「先生はそこで降り、タクシーは引き返したというわけです」

「罠ですか?」

「まさに」

「ハメられているとも知らずに、僕は歩いて向かった……」

もう一度思い出そうと頑張ってみたが、相変わらず情景はからっぽだった。

そこで思いをめぐらせ、望月が推測できる事実を口にすると、こういう体裁になった。

「道路途中で、突然何者かがばらばらと現われたのでしょう。おそらく三人以上。なにせ、こっちには護身用のステッキがありますから、いささか自信はある」

「たしか、鉄か何かを巻いたやつですね」

「それに昔取った杵柄《きねづか》の柔道。ステッキと柔道という情報くらいは、敵もしっかりと持っているでしょうから、一人じゃ満足に闘えないと見越して数人で臨んできた」

「ええ」

「僕はステッキを振り回した。が、多勢に無勢、さしもの望月も突き落とされる……」

あたかもすごい大立ち回りがあったかのように説明したが、しゃべっているうちにアドレナリンが噴出し、頭の片隅にあった記憶が少し戻った感があった。

「悪運強く、立ち木にでも引っかかり、一命を取り留め、さ迷い歩いて車道に出てきたところで気を失った。そして天は我を見放さず……」

望月は、テーブルの上の「一三人撮り」を手で触った。

「このとおり、どうあっても神は、僕をお宝へと導くわけです」

苦笑した。

「あの日は」

奥田がしゃべった。

「写真をお渡しし、その足で、先生ご希望の場所へお連れしようという計画でした」

「僕が希望した地？」

「はい、この写真が発見された学校跡地です。ですから、わざわざ福島までお越し願ったのですが……」

「学校跡地……」

「私学校、磐城《いわき》佑賢學舎《ゆうけんがくしゃ》」

「佑賢學舎というのは？」

「平《たいら》藩跡地にできた学校です」

「平藩……」

意外な藩名に、望月はおやという顔をした。

掘り出された歴史写真

磐城平藩は四万石の小藩だが、四万石をあなどってはいけない。

「桜田門外の変」で大老、井伊直弼《いいなおすけ》が斃《たお》され、その後を引き継いだ老中が、平藩主の安藤《あんどう》信正《のぶまさ》だ。

老中は、実質的な幕閣《ばっかく》ナンバー・1《ワン》。今風に言うなら幹事長、政調会長、総務会長の三役を併《あわ》せ持ったようなポジションと言える。

どういう力学が働いて規模的に並の藩主が老中という大抜擢にあずかったのかは不明だが、安藤信正の性根は太く、井伊直弼路線を立て直す。やはりそこは老中になるくらいだから一廉《ひとかど》の人物だったのであろう、臆するふうもなく公武合体、開国路線を主導した。とくに孝明《こうめい》天皇の妹、和宮《かずのみや》と将軍徳川家茂《いえもち》との婚姻、いわゆる世の語り草になっていた公武合体派による目玉政策、和宮降嫁計画をしぶとく推《お》し進める。

尊皇攘夷派はそれに激怒。結果「坂下《さかした》門外の変」というテロを招く。水戸《みと》尊攘派六名が、安藤信正を江戸城坂下門で襲ったのである。

「桜田門外の変」の悪夢がまだ覚めやらぬ二年後、あの見事な暗殺ぶりを見せつけられているので、警護は当然厳しくなっていた。とりわけ、その日は不穏な空気が流れており、臨戦態勢だったという。

そんな中での斬り込みだった。

決行は、水戸藩のほぼ単独でたったの六名。いかにも無謀。飛んで火に入る夏の虫とはこのことで、案の定、片っ端から一人残らず返り討ちに遭う。しかし安藤も駕籠《かご》の外から突かれ、背中に軽傷を負っていた。

背中の傷は敵に逃げを見せた証拠、士道不覚悟、幕府の権威を失墜させたとし、老中罷《ひ》免《めん》のあげく、隠居及び蟄居《ちっきょ》を命じられ、平藩は二万石減封《げんぽう》の憂き目に遭う。

ライバルたちに突け込まれたのか、えらく重い処分なのだが、その結果の四万石だ。

しかし平藩の、幕府への忠義は本物だった。

戊辰《ぼしん》戦争では折り目正しく奥羽越列藩同盟に参加し、猛攻を受けつつも激しく抵抗し、西軍をさんざん手こずらせたのである。

佑賢學舎は、その磐城平城の内堀の中あたりにあった。

――なぜ、そこに薩摩藩の写真が？――

望月は、漠《ばく》として見えない写真の来歴《らいれき》を思った。

「学校の創立はいつです？」

「たしか大正四年だったと。平藩藩校、佑賢堂から校名を頂戴しております」

「現在はどうなっています？」

「生徒が集まらなくなったのでしょう、昭和の大戦前には閉鎖されていたらしく、廃墟と化した建物を、ちょうど二年前でしたか、本格的に解体することになりました。その時近所に住んでいた私に、欲しいものがあったら持っていってくれと声が掛かかりましてね」

「すると奥田さんのお住まいは……」

「ええ、私の家も城の敷地内、六間門《ろっけんもん》近くです」

いわき市では、城という歴史的エリア内での民家建築を許している。

家の近くに、佑賢學舎の抜け殻が今にも崩れそうな状態で長い間放置されており、その朽ちた図書館で奥田は写真を見つけたのだと語った。

「何の因果で幕府を背負った藩城内に、官軍の雄、薩摩藩士の写真があったのでしょう。どう思います？」

望月は、深淵を覗くように質問した。

「私が拾ったのは一枚の写真ではなく、写真集です」

乱雑な床に落ちていたのは、一冊のアルバムだったというのだ。

手にとった時には大したものに見えなかったが、パラパラと捲《めく》っているうちに、問題のページに目が止まった。中の一人が、「フルベッキ写真」で望月が西郷隆盛と見立てた侍にあまりにも似ていたので気になって家に持ち帰った。今、目の前にあるのは、そのページをコピーしたものだ。

「実物は」

奥田は身体を少し反《そ》らし、立派なアンティークの机の引き出しから取り出した。

『日本歴史寫真帳《しやしんちよう》』。

タイトルは凹凸《おうとつ》型押し、3D、見るからに重く、まことに古いものだった。

装丁は、もともと緑色だったのではないだろうか、すっかり擦《す》り切れた布が昔の色を不明にしている。

巻末を開くと、発売元は東京淀橋《よどばし》の東光園《とうこうえん》となっていた。

三〇〇ページあまり、定価は「六圓《えん》」。ようは、数ある商業写真集である。

ざっと捲ってみた。

古写真は幕末維新から始まり、日清、日露の戦争場面など、明治に起こったおおよその出来事をなぞっている。

発行は大正元年。世が大正に切り替わって、明治という時代をノスタルジックに振り返りたいという年寄り心理を当てにしたものだ。

望月の眼には各ページ、どれもこれも見慣れた馴染みある写真ばかりだった。

例の「一三人撮り」のページを開く。

西郷とおぼしき人物。物言わぬ樫《かし》の木のようにどっしりとした存在感、その存在感は、写真を一人で独占していた。

見れば見るほど異様なオーラだ。

写真の下に、キャプションがついていた。

〈薩藩の島津公慶応年間撮影〉

島津公というからには藩主であろう。その下に、英語のキャプションも付いている。

〈Prince Shimazu, feudal lord of Satsuma clan, and his retainers, during the Keio era (1865 - 1867)〉

英語のキャプションが、すべての写真に付いているのを見れば、外国人旅行者の土産品としても期待した商品だ。

本物の西郷ではないだろうか？

写真に誑《たぶら》かされているのかもしれないが、ますますそう思えてくる。同時に、西郷隆盛という男の魅力に接近し、分析してみたいという気持ちがふつふつと湧いていた。

望月は四方山《よもやま》話をするような口調で、やってみるだけはやってみたい、と請け負った。

西郷の軌跡

西郷隆盛。

幕末維新の顔だ。この男がいなければ絵にならない。

狂った身分制度に縛られた愚かしき時代である。監視と暗殺と切腹が当たり前の悪《あ》しき社会だった。

藩主でもないのにそれ以上の力を持ち、眉ひとつ動かさず狂った封建国家に一発お見舞いして、ガラガラと大転回させたこの人物の評価は低い。なでしこジャパンが国民栄誉賞で佐藤栄作《さとうえいさく》がノーベル平和賞なら、西郷にふさわしい賞牌《しょうはい》はこの世に存在しないであろう。

西郷という日本の恩人を歴史の彼方《かなた》に葬《ほうむ》り去ったのは天下の誤りだ。

ただし、西郷は捕らえどころがない。

果敢で苛烈《かれつ》かと思えば、これが同じ人間なのかと思うほど、打って変わってすべてに無関心になる。

世がうつろだったのか、西郷がうつろったのか、はたまた仕事に燃えて、燃え尽きてしまったのか。

動と静、その起伏の激しさに、さだめし周りは気を揉《も》んだことだろうが、望月も順を追って心を探れば、二重人格か、躁鬱《そううつ》病を疑う。

変名は多い。

有名どころでは西郷三助《さんすけ》、菊池源吾《きくちげんご》、大島三右衛門《おおしまさんえもん》、大島吉之助《きちのすけ》の四つ。

変名の数だけ激しく、悲しく乱れ、西郷の自己犠牲的人生はうたかただった。


出世の切っ掛けは一一代薩摩藩主、島津斉彬《なりあきら》だ。

お目にかなって大抜擢にあずかるのだが、下級武士の出世チャンスは、たいがい庭方役《にわかたやく》という役職にある。

庭方役というのは、現代風に言えば、社長の個人秘書兼セキュリティ・ガードだ。

常に殿の住居の庭に控えており、何でもこなす。

秘書であるからには読み書きは必須だ。広い知識があって、機をみるに敏でなくてはならず、セキュリティ・ガード役であるからには腕が立たなくてはならない。

頭はビジネス的で、身体は体育会系が条件だ。

西郷はその庭方役から出発し、殿の信頼を勝ち取って、見事に藩を掌握する。

やり手の社長秘書が、秘め事を腹に納め、社長を制するほどの力を持ってしまうことがあるが、ごくたまに見られる現象だ。

中でも西郷は別格だった。

勲章で胸が埋まり、肩が凝《こ》るほどに受勲した明治の「元勲」なる輩《やから》は多い。しかし武家社会のうるわしき伝統を身にまとって、自藩のみならず他藩の武士の魂さえしっかりと鷲掴みにしてしまった男は、西郷以外に見当たるまい。

大久保利通、桂小五郎《かつらこごろう》、伊藤博文、板垣退助《いたがきたいすけ》、大隈重信……みな地元で総スカンをくらっている。

「西郷のためなら死んでもよい！」

そう叫ぶ武士、浪人は掃いて捨てるほどいた。

「貴殿に命を捧《ささ》げる」

男と生まれたからには、一度は言われてみたい気もする。

大演説をぶったわけでもなく、金をばらまいたわけでもない。存在し、行動しただけだ。

カリスマ美容師、カリスマ料理人……カリスマの価値も、愚かなメディアによってすっかり地に落とされてしまっているので使いたくはないが、本来なら唯一、西郷隆盛にこそ当てはまる言葉だ。

カリスマ。

西郷自身、望まぬ人気だったのかもしれない。

一人、静かにそっと余生を過ごしたかった。野山を眺め、好きな温泉に肩まで浸《つ》かり、狩り三昧《ざんまい》の日々に埋もれていたかった。

だが、あまりの人気度、知名度に目を付けた連中が担《かつ》ぎ上げて西南戦争を引き起こし、自刃に追い込まれる。

とにかく、西郷は魅力にあふれていた。

丁髷《ちょんまげ》時代の講演では望月はまず、その時代の雰囲気から話すことにしている。テレビも電話もなく、スポーツもゲームもない時代。そんな空気を感じとってもらって、はじめてイメージが湧き臨場感が出てくる。

飢餓列島。

望月の幼い頃も、敗戦の食糧不足を経験している。共働きは普通だから昼飯は食ったり、食わなかったりで、「腹が減ったなあ、菓子の国があったらなあ」というのが、悪餓《わるが》鬼《き》仲間と暇を持てあました時の台詞だった。

腹いっぱい飯を食いたい。

人間はまず飯だ。今日一日、食えるか食えないか?

百姓も武士も関係はない。朝の起き抜けから頭にあるのはそれだけで、一にも二にも関心事は食い物、飢えをしのぐことであり、腹が満たされれば、これ以上の幸せはなかった。

そんな中、満腹状態の雲上界では将軍の後継者争いで揉み合っていた。

見慣れた光景だが、城内では二大勢力に収斂《しゅうれん》され、陰に陽にぶつかっていたのである。

一橋《ひとつばし》派と南紀《なんき》派だ。

一橋家の徳川慶喜を将軍に推《お》しているので「一橋派」なのだが、後ろ盾は水戸藩。つまり「一橋派」＝「水戸派」だ。

慶喜の実父、前の水戸藩主徳川斉昭《なりあき》、加えて実兄、水戸藩主徳川慶篤《よしあつ》。この両名を筆頭に、越前《えちぜん》藩主松平春嶽《まつだいらしゅんがく》、尾張《おわり》藩主徳川慶勝《よしかつ》、薩摩藩主島津斉彬、宇和島《うわじま》藩主伊達宗城《だてむねなり》、土佐《とさ》藩主山内豊信《やまうちとよしげ》、錚々《そうそう》たる顔ぶれである。

対する南紀派は、紀州《きしゅう》藩主徳川慶福《よしとみ》（家茂）を担いでいた。

こちらの勢力は関ヶ原の合戦以前からの徳川勢、いわゆる譜代《ふだい》大名が多く、かつ幕政を握っている。

次期将軍をだれにするか？　体制派と反体制派。どこの世界でも見られる構図だ。

自由な議論の場もなく、多数決もない。

この二つがなければ、あとは利害でつるむか、買収するか、言い掛かりで蹴落とすか、暗殺するかで勝負を決する。

そんな中、九州南端の一橋派、薩摩藩がヌルい、と動き出す。

切り札は藩主島津斉彬の養女、篤姫《あつひめ》だ。一三代将軍家定《いえさだ》に嫁がせる腹を固めたのである。

最南端とはいえ、七七万石という大藩、篤姫を幕府に送り込んで影響力を強めようという動きは、派閥力学に多大なる動揺を与えた。

まずは慶喜を将軍に押し上げ、幕閣を一橋派で固める。条件付きの開国をもって舶来武器を調達し、富国強兵国家を造るという構想だ。

突き詰めれば南紀派も同じ考えで、ようは互いに気に食わない相手をぶっ潰し、もっと甘い汁を吸いたいというほどのものだ。

江戸詰徒目付《えどづめかちめつけ》を仰せつかった若き西郷は、島津斉彬と他の一橋派の連絡係となる。ぴんと張りつめた空気の中を斉彬じきじきの密書を携《たずさ》え、一橋派を回った。

で、方針が定まる。南紀派の根城幕府をやっつけるためには公武合体＝公幕合体をぶっ潰すが一番だと読み、そのために京都の公家を巻き込む。これは一橋派が重きを置いた戦略で、独自に自分たちで天皇を囲ってしまおうという作戦だ。

天皇分取り合戦、天皇利用の始まりである。これで天皇本人が眼醒《めざ》めた。「えっ、そんなに価値があるの？」となった。

つまり武家社会では将軍が一番。天皇はどうかというと、単なる将軍就任儀式要員だ。

〈天皇は、利用するものにして尊ばず〉

これが武家社会の仕来《しきた》りだった。

一橋派は儀式だけの尊ばない天皇に目を付け、もっと尊んで味方に付けようとしたのである。

みなでよいしょと担ぎ上げ、神棚に置いてしまえばなんとなく、将軍より偉くなる。その天皇をしっかりと囲い、あやつった勢力が勝つ。近代、現代にもつながるやり方だ。

こうして、天皇は一橋派の最終兵器となってゆくのである。

単純な力学で、京都手入れは欠くべからざる政治工作だ。

そんな中で登場した西郷は、底知れない雰囲気をまとっていた。

斉彬肝煎《きもい》りということもある。しかし風貌なのか、薩摩弁なのか、器量なのか、きっと全部に違いないのだが、のっそりと姿を現わせば、たちまち広大無辺な人柄をもって貴賤《きせん》を問わず、信頼を築き上げてしまうのだから大したものだ。

西郷が、着々と公家工作を進めているちょうどそのころ、江戸城内では南紀派の大ボス、大老井伊直弼が辣腕《らつわん》をふるっていた。

直弼もまたカリスマがあって、またたく間に幕政を掌握すると、淀みなく強権を振りかざし、ついに一橋派候補者、水戸藩主の息子慶喜を蹴落として、紀州藩主の次男、徳川家茂を一四代将軍にすえたのである。

一橋派の敗北。

「この度《たび》のあっぱれな勝利、甘露《かんろ》、甘露」

美酒に酔った井伊直弼は、江戸城本丸御殿を我が物顔で仕切りはじめ、もはや将軍をもしのぐ勢いだ。

「一橋など、何ほどでもない。踏み潰してくれるわ」

地固めの弾圧を強める。

容赦はなかった。一橋派の主だった思想家、活動家は次々と狩られてゆく。

島津斉彬は、歯ぎしりするほど悔しがった。

呑みかけていた芋焼酎を丼《どんぶり》ごと鹿児島の海に投げつけると、あわただしく薩摩軍の大軍事演習を開始、満々のやる気を見せつける。仁王立ちとなった稀代のリーダーは、一戦交えることも辞さない。

ところが人生の先は読めない。まことに何が待ち受けているか分からないという典型で、斉彬が急死する。

事故死でも流行病《はやりやまい》でもないという。

残るは暗殺。黒幕は斉彬の異母弟、久光の仕業ではないかと囁かれる。

斉彬の急死を受けて、久光の長男、忠義が一八歳で家督を相続する。

なぜ、久光が藩主にならなかったのか？

なれなかったのだ。

久光はすでに異母兄、斉彬との藩主争いで一敗地に塗《まみ》れており、斉彬派との間には少なくない澱《おり》がたまっていた。藩は斉彬派で固められ、その上、斉彬の死に久光がかかわっている、という風評が飛び交っていては、無理な話である。

自分がだめなら長男を押し込む。

長男ならば、斉彬の養子に行っていたので、両派閥の顔が立った。無難な落としどころだ。

久光（四二歳）はスルーしたとはいえ、腐っても実父、藩の実権は、久光の手に落ちた。

不可解な心中事件

西郷は、国許《くにもと》の異変を京都で知る。

全身全霊を捧げ仕えて来た主《あるじ》、斉彬の頓死《とんし》。

言葉はいらない。西郷は忠義《ちゆうぎ》の殉死を選んだ。

この真っすぐさが、下級武士の心をぐっと摑むのである。

周りの説得で思いとどまる。悲しみが明け、立ち直った西郷は、亡き主人《あるじ》斉彬の意を継ぐため孝明天皇の秘密書簡、つまり「内勅《ないちよく》」を水戸藩、尾張藩とそれぞれの一橋派に届ける目的をもって江戸に赴《おもむ》くが、監視がきつくて京都に引き返す。

その後、たいがいは京都清水寺《きよみずでら》の子院（成就院《じようじゆいん》）住職月照《げつしよう》と共に行動している。

月照は坊主のくせに、神道系の尊皇にのめり込み、公家のパイプ役として動いている変わり者で、近衛《このえ》家と親しい。西郷の殉死を阻止したのも、月照だ。

弾圧の手が、ひたひたと忍び寄り、二人は京都を脱出し、薩摩に逃れる。

しかし斉彬亡きあと、幕府の締めつけをはね返す力は弱かった。お家大事の内向きの風が吹き、そうなれば幕府おたずね者など、厄介者だ。保護を拒《こば》むどころか、月照切り捨ての命を下した。

錦江湾《きんこうわん》に船を出した西郷、腋《わき》の下から冷汗がつっと流れ落ちる。

頃合いを見て、船縁《ふなべり》に佇《たたず》む月照に頭を下げる。

「申しわけござらん」

静かに微笑む月照。命に媚《こ》びることはない。二人は、波間に身を投じたのである。

月照辞世の歌が残っている。

〈大君《おおきみ》の　ためにはなにか　惜しからむ　薩摩の瀬戸に　身は沈むとも〉

しかしどういうわけか月照は死に、西郷は一カ月後に息を吹き返した。

最初からの筋書きだったという説がある。

そういう眼を持って改めて調べ直すと、なるほど腑に落ちないことが多々あった。

坊主を一人殺すだけなら手間はいらず、そこら辺の足軽に斬らせるだけでいい。

しかし藩の沙汰《さた》は七面倒くさいことに、隣国の日向《ひゅうが》送りだときている。追放ではなく、あくまでも送りなのだ。この辺に手が込んだカラクリを感じる。

そしてなぜか、藩は月照の無二《むに》の同志、西郷の付き添い乗船を許している。

妙な話だ。

そのうえ、死ぬ手段も風変わりだ。

武士なら切腹、刺し違えではなかろうか。なぜ女のような入水《じゅすい》自殺なのか？

住職と武士の抱き合い心中という献立は、失恋カップルでもあるまいにぞっとするほど悪趣味だ。自分ならどんな命が下ろうが、男との心中など絶対にありえない、と望月は考える。

なぜ入水心中なのか？

次もおかしい。

飛び込んだ西郷は、意識不明のまま引き上げられ、回復に一カ月近くかかっているのだ。

はたして、そんなことがあるだろうか。

あの時代、意識不明も二日もたてば三途《さんず》の川は越えているか、見切りをつけて荼毘《だび》に付すはずだ。

さらにもっと言えば、船にはなぜか平野国臣《ひらのくにおみ》が一緒だ。その平野が、西郷を水から助け上げている。

藩命なら監視は薩摩藩士の仕事だ。しかし平野は違う。福岡藩の侍で、なんと月照につき添って京都から警護してきた尊皇一橋派の大物なのだ。

薩摩藩はおたずね者の処分を、同じおたずね者の仲間の二人の手に委《ゆだ》ねたということになる。

普通ではない。

武士たるもの、死のうと覚悟を決めて死ねなかったのだ。辱《は》ずべきことである。ならば意識が回復した時点で、ただちに切腹してしかるべきなのに、西郷にそれはなかった。前代未聞の無粋《ぶすい》、胆《はら》の据わった侍の為《な》す行為ではない。

なぜ平野は西郷を助け、月照を見捨てたのか?

西郷との関係がきわめて深い二人。月照（左）と島津斉彬（右）。

その後の藩の動きも不自然だ。

藩は、西郷の墓をわざわざ造っている。そうやって西郷は死んだものと葬り、幕府捕吏《ほり》の目をごまかしたのだが、その後の処遇、あり様を注視すれば、いくら鈍感な人間でも、これはやはり工作だったと気付くはずだ。

奄美《あまみ》大島流し。

「島流し」という字面《じづら》で判断してはいけない。

この時は異なる。

鹿児島から不自由なきよう慰問品が数多く届けられており、書簡もちゃんと到着している。これだけでも流罪者への待遇ではない。

さらに藩は西郷を気遣って扶持米《ふちまい》を六石から一二石へと積み増しするわ、留守宅にも藩主から下賜金が付与されるわの大盤振る舞いだ。

まるで手柄を立てた者に対する待遇だ。

故郷の妻とは離縁していたのだろうか、大島の娘とも結婚し、子供までもうけている。

これらを拾い集めると、状況は噂が正しかったことを指し示している。

つまり藩として月照は粛清し、西郷は逃がす。

あの西郷が、世話になった月照と縁を切るべく始末したのだろうか？

それとも泣いて馬謖《ばしょく》を斬ったのだろうか？

そうではないような気がする。

この場合、久光は幕府の手前、月照もろとも面倒な西郷を一緒に葬ろうと考えていたと分析すべきだ。

しかし狙う相手は手強い。今や斉彬派のシンボル西郷だ。

彼には、今でも斉彬が生きているかのごとき力がある。これは重い。ただでさえ久光は、斉彬を謀殺したのではないかと疑われており、その上西郷までもとなると、ただではすみますまい。

この力学が働いた。

月照は殺し、西郷はそれ相応の待遇で生かす。これが久光派のぎりぎりの妥協点だったのではないだろうか。

月照の始末のつけ方は、おぬしらにまかせる。西郷に気持ちの整理はつかなかった。せつない時が、流れるともなく流れてゆく。月照を、一人だけ逝《い》かせるわけにはいかない。西郷は、月照を慈《いつく》しむがゆえの痛ましい決断をした。靄《もや》の底にある鈍色《にびいろ》の海へ、追って己《おのれ》も飛び込んだのである。

死んだと思ったのだが、死んでいなかった。なんたる失態。月照の悲劇と生き恥を一生背負え、というのがかせられた天命なのか。

西郷は天を呪った。

何にせよ、これが己の運命である。ここに落とし込まれた以上、いさぎよく斉彬と月照の遺志を継ぎ、彼らの分まで生きろという声が幾重にもおりかさなって耳に届く。この結末が表沙汰になったら終わりだ。一カ月間、海辺の小屋で悩みに悩んだ末に周囲に処遇をまかせた。これが実態ではないだろうか。

西郷の人柄を憶測すれば、そう思わざるをえない。

大島での優遇も、藩内派閥のバランスから導き出されている。斉彬派がしぶとく工作し、巻き返した結果であって、久光派が喜んで扶持米やら下賜金を出したわけではあるまい。

朝廷とのパイプ役を担《にな》う西郷を失ってもいいのかという説得に、久光がしぶしぶ折り合ったとも考えられる。

西郷処罰

異母兄、斉彬の死の混乱から、藩が落ち着いてくると、久光はじっとしていられなくなる。

東方から、新しき世の鼓動が直接耳に届きはじめたのだ。

本丸御殿で、早瀬に取り残されたような気がしてならない。

ことあるごとに斉彬と比較され、「軽量級で意気地なし」「えらい違いでごわす」などと、耳に届くたびに面白くない。

久光はたまりかねて、斉彬の真似事をはじめる。

調べなくとも分かっている。兄のしようとしていたことは天皇の力を借り、幕政に影響力を持つことだ。

ところが久光には、遠い海の彼方の京が想像できなかった。

いったいどうなっているのか？　公家とどう交わればいいのか？

人脈もなければ、仕来《しきた》りも知らない。

側近を呼びつけるが、知っていることは、示現流《じげんりゅう》と薩摩揚げの作り方ばかりでてんで役に立たない。

肝心の京都藩邸は、西郷の息がかかっている。

薩摩中を探しても、あの男の足元にも及ばない連中ばかりだ。なにせ西郷は孝明天皇の内勅を携えて動き回っていたくらいで、薩摩藩きっての朝廷通なのである。

役目を果たせるのは、一人しかいなかった。

しかし西郷が、己の主人斉彬暗殺の下手人として、自分を疑っているのは百も承知。最初から反《そ》りの合わない久光、しかし苦渋の決断で、帰藩命令を出したのである。

一八六二年三月一二日。西郷、鹿児島着。

幕府への発覚を恐れ、大島に三年住んでいたという洒落《しやれ》で、大島三右衛門と名を変えての登城である。

五十畳はあろうかという謁見の間、久光と面会する。

眼の覚めるような金襴《きんらん》の羽織、派手な衣擦《きぬず》れの音。

侘《わび》しかった奄美とは、打って変わった豪奢《ごうしや》な佇まいである。

「余は京に上るつもりだが、そちの案内がいる。行ってくれるであろうな」

久光は指先でしきりに扇子を開け閉めしながら切り出す。月照の無念を胸に、眉ひとつ動かさず西郷が言い放つ。

「お手前にはお畏《おそ》れながら、地ゴロ（田舎者）ゆえ周旋など、とてもできる身分ではござりませぬ」

藩主同然の久光を、お手前などと見下し、いささかも媚びない。その胆の据わり具合に、久光はムカッ腹を立てる。

ムカッ腹を立てるが、へそを曲げられてもまずいので、ここはひとまず引きつった苦笑で流す。

「その方、月照の処遇に、まだこだわっておるのか」

西郷は、ひたと久光の顔を睨んだままだ。たじろぐほどの鋭い眼光だが、侮蔑《ぶべつ》に満ちている。

五つの呼吸をゆっくりし終えた西郷は、重い口をようやく開いた。

しかし、強烈な返答だ。

藩主でもない久光が、斉彬を真似ての上洛《じょうらく》などつまらなき話だと、畳みかけたのだ。

その高慢さに、久光はついに激怒。

「分かった。もう頼まん、下がれ」

つれなくあしらって決裂するが、後日、周囲の説得により西郷は承諾する。

西郷ラインによる孝明天皇への下ごしらえが終わって、久光が上京する。果敢なところを見せなければ、示しがつかない。堂々《どうどう》の一〇〇〇〇武装兵、幕府、朝廷への示威行為だ。金正日《キムジョンイル》の後を継いだ金正恩《ジョンウン》も過激な姿勢をとったが、基盤が弱いとそうなる。

ところが、西郷はまた問題を引き起こす。

待機命令無視だ。

「下関《しものせき》に、滞在しておれ」

この久光の命に従わず、下関にいた西郷は、京坂《けいはん》の緊迫した情勢を耳にすると、急遽《きゅうきょ》京都に向かい、なぜか久光より一週間も先に到着してしまっていたのである。

むろん京都での薩摩藩尊皇攘夷過激派の不穏な動きは、久光の許《もと》に届けられている。薩摩藩尊皇の頭目、西郷が入洛すればろくなことはない。だからこそ、西郷を下関に待機させたのである。

しかしそれを無視した。

こともあろうに、西郷は先回りをして尊皇攘夷過激派と会っていた。

その直後に起こったのが、寺田屋《てらだや》事件だ。

倒幕を叫ぶ薩摩藩尊皇攘夷派が多数結集し、不穏な動きを見せはじめる。

言い分は、過激そのものだった。

「公家九条尚忠《くじょうひさただ》と京都の治安を預かる京都所司代《しょしだい》酒井忠義《さかいただあき》を襲撃せよ！」

共に公武合体派の重要人物だ。そのうえ、なんと、入洛した久光にその実行を迫るべく、伏見《ふしみ》の寺田屋に立て籠もったのである。

久光は応じない。

「おとなしく国に戻れ」

との命を下す。

しかし、無視。気の毒になるくらいの無視の連続である。

業を煮やした久光は、とうとう精鋭部隊を送り込んで、斬り合いの末に鎮圧したのだが、背後にくっきりと立ち上がるのは西郷の影である。

重ね重ねのあるまじき行為、舐《な》められていると感じた久光は、顔を真っ赤にして流刑を申しつける。

裁判だ何だと面倒のない時代、「西郷を引っ捕らえろ！」の一言で今回は財産も没収するという容赦のない処罰。

場所も遥か遠く、沖縄圏内といっていい沖永良部島《おきのえらぶ》だ。地獄への道行き。船牢での苛酷な移動に健康を害し、回復するまでに二カ月を要している。

島には何もなく、島民はほぼ裸族だ。西郷は暇にあかして言葉の通じない島民に学問を教え、一緒に酒を呑んだ。

島流しも一年が過ぎた頃、また時代が西郷に味方した。

薩英戦争の勃発である。

情勢の逼迫《ひっぱく》から、藩の総力を結集する必要にかられた久光は家老、小松帯刀《こまつたてわき》、大久保利通らの後押しもあって、西郷復帰の許可を出す。

これからが西郷の独壇場である。

戊辰戦争を主導、勝海舟《かつかいしゅう》との会談による江戸無血開城と八面六臂《はちめんろっぴ》の活躍だ。

この男を見るにつけ、つくづく人を束ねるのは学問ではなく、努力でもなく、器量という持って生まれた摩訶不思議な力なのだと思うのは望月だけであろうか。

西郷は動乱の申し子だ。大局を見定め、調整する能力が備わっている。

明治では参議として新政府に貢献、その後陸軍大将、近衛都督を兼務し天辺《てっぺん》まで上り詰めるが、すぐさま岩倉、大久保のビッグ2と対立する。

そして一八七七年、西南戦争に足をすくわれ、四九年の生涯を終えるのである。

鹿児島見聞旅行

旅慣れたものだ。

ノート、デジカメ、双眼鏡、コンパス、ノート・パソコン、携帯、筋肉痛防止クリーム。取材の七つ道具は前日からキャリー・バッグに詰めてある。

本を忘れてはいけない。二冊選別する。

約束どおり、ユカへ電話を入れ、鹿児島二泊、博多一泊、ホテル名を告げる。

旅程を教えたからといって、身の安全が増すわけはない。しかしユカの気休めにはなる。することをすればユカは、差し出がましい口はききますまい。


仕事が一段落した夕刻、タクシーで羽田に向かった。道路はひどい混雑だった。飛行場もけっこうな賑わいで、長いセキュリティ・ゲートを潜《くぐ》る。混んでいたのはそこまでで、機内は空席が目立っていた。

機体が安定したのでさっそく先刻選んだ空弁《そらべん》を広げる。冷たい茶を味わい、頭の中を空っぽにして弁当を頬張る。

これほどの幸せがあるだろうか、望月はいつもそう思う。


「おはようございます」

翌朝、鹿児島のホテルに現われたのは地元紙のOB、井上喜一郎《いのうえきいちろう》だ。出版社の伝手《つて》で、前もって紹介してもらっていた人物である。

「よく、おいでくださいました」

OBであるからにはそれなりの歳なのだが、とても若い。

顔のツヤがよく、声に張りがあって、若く見えるのではなく若いのだ。こういう人なら、まだまだやれる。

望月はパナマ帽を脱いだ。

「ご厄介をおかけします」

「本日の訪問予定を組み立ててみましたが、これでいかがです？」

コピーを手渡しながら言った。

行きたいところは、あらかじめ電話でお願いしてある。井上は望月の希望を取り入れ、几帳面に案内ルートをパソコンで仕上げてくれていた。

「すばらしい。完璧です」

もらったスケジュール表を胸ポケットに仕舞い、ロビーから出る。先にシルバー色のSUVが止まっていた。

「ひと雨、来そうですなあ……」

望月は、助手席に座りながらポツリと言う。

「スコールは鹿児島名物、歓迎の印です。歓迎に手抜きはありません」

井上が、冗談ぽく言いながら車を出す。

「ナポリと姉妹都市でしてね」

意外なことを言った。

「鹿児島市とですか？」

「ええ」

「姉妹交流のお祭りは賑わいますな」

「いえ、それがさっぱりでして……こちらは乗り気なんですが、あちらさんがつれなくって、片思いですわ」

真っすぐ前を見ながら苦笑した。

「鹿児島市の人口は、いかほどです？」

「ほぼ六〇万人といったところでしょう。合併につぐ合併で面積だけは広いのですが、まばらです」

元ブン屋だけあって、歯切れよく答える。

さらに年輩者とあっては、雑談はまったりしているのにツボを外すことがなく、まことに具合がよかった。

望月の次作品のことなどをゆるりと話しているうちに、いきなりざっと来た。大雨である。

バタバタと頭上が喧《やかま》しい。ワイパーが雨を忙《せわ》しく掻き分ける。掻き分けても、掻き分けても追い付かず、車の速度を落とさなければ前方が見えないほどだ。

「来ましたなあ」

井上がのんびりと言う。

「少したてば、収まるでしょう」

浮かぬ顔の望月に続けた。

「そんなものですよ。朝起きると、きっちり寿命が一日縮まるのと同じくらいたしかです」

降れば上がる。上がれば降る。カネをかけなくとも、時間がちゃんと止めてくれるのだから有難いものだ、とかなんとかしゃべっているうちに、予言どおり車が駐車場に入る前には、雨がおさまっていた。

曇天は変わらない。

正面には、大きな桜島《さくらじま》がそびえている。

霞み島もまた一興、望月はパナマ帽をかぶって見渡す。景色は異国だ。自分の住んでいる世界から遠ざかって、なつかしい思慕と追想の国にいるような気がした。

雨上がりの夏のやわらかな風が吹いた。

ステッキは、いわき事件でなくしていたので、今日のは別もので、家にあった古いやつだ。

コツコツと濡れた駐車場を横切る。と、西郷南洲《なんしゆう》墓地が登場した。

見たかった場所だ。感じたかったエリアである。

墓地は、ゆるやかな斜面を利用して造られており、探すまでもなく西郷は石段を上ったすぐの所、桐野利秋《きりのとしあき》と篠原国幹《しのはらくにもと》の間に眠っていた。

さすがは西郷、貫禄の墓石だ。

望月は頭を下げ、眼を瞑《つむ》った。

――来ましたよ――

念じるように話しかける。

――ここまで来たら今さら引き下がりようがないので、命ある限り、隠された歴史の発掘に情熱を注ぐのみです。どうか、思いのたけを述べられ、ご教授の数々を承《うけたまわ》りたい――

瞑想でもできればいいのだが、どこもかしこも先ほどのスコールで濡れそぼっている。

「西郷どんの墓は、ずいぶん高さがあると思いませんか?」

井上の言葉に眼を開けた。

「ええ、立派なものです」

「高さには理由がありましてね」

「ほう」

謎めいた口調に、望月はステッキを地面に突き、井上に向き直った。

「西郷どんは軍服姿で椅子に座ったまま、埋葬されておりましてね」

「座葬……」

西郷隆盛の墓石（中央）。向かって右は篠原国幹、左が桐野利秋の墓。

望月は、驚きの息を吐く。

「いえ、本当かどうかは分かりません。ただの噂に過ぎないのかもしれませんが、両脇の桐野も篠原も同じく椅子に腰かけたままここに眠っています。ですから、見上げんばかりの高さになったと」

望月は、帽子をかぶり直して質問した。

「しかし、たしか西郷さんには介錯《かいしゃく》の一振りが下ろされて、首はなかったはずですが」

「それは事実です」

「その首は、この中で一緒に？」

「介錯後、首はこっそりと持ち去って」

「うむ、大将の御首は、命に引き替えても持ち帰るのが侍です」

「ええ」

井上が続けた。

「敵に囲まれているので土手に埋め隠したのですが、しかし頭部を包んだ白い布の端っこが地表にひょっこりと出ていましてね。一部始終を見ていた少年が、あとからやってきた政府軍に指を差し、万事休すです」

自刃二時間後の出来事だ。

「掘り起こし、山縣有朋《やまがたありとも》が首実検をした後、晒し首に」

井上は眉間に皺を寄せ、付け加えた。

「死体を寝かせ、胸の上に西郷の首を載せるやり方でね。それが、このあたりでした」

そういえばと思った。佐賀の乱の江藤新平《えとうしんぺい》も晒し首である。西郷と同じだ。

たんなる反乱軍の見せしめではない。

思い出したのは明治天皇の秘密を守り、裏切れば頭と身体を切り離しての晒し首、梟首《きょうしゅ》にするという掟を持つ結社、『南梟団』である。

望月は首に冷たいものを感じた。

「さて、次に行きましょう」

井上がスケジュールに言寄《ことよ》せて、促《うなが》した。

今日は頭が冴えている。その冴えた頭に、晒し首の西郷を思い描いた。

どんな顔だったのか？

西郷の頭蓋がこの墓にあるなら、今の科学をもってすればほぼ面相が判明する。

フランスでは近年、ナポレオンの遺体を掘り出して解剖し、死因を調べたことがあるが、この国では無理だ。口にしただけで周囲は凍りつく。信仰薄き民族なれど、なぜかそれだけは敏感で、激怒するに違いない。この風潮が捏造支配者に味方する。

――自分のやり方で、西郷の貌《かお》は突き止める！――

救いの言葉を自分に投げかけ、次の場所に移った。

隣接地が「西郷南洲顕彰館」だ。

垂れ幕を見上げて、望月が思わず身を乗り出した。

『楠公《なんこう》と西郷隆盛展』。

「ほう、楠公と来ましたか……」

南朝の武将、楠木《くすのき》正成《まさしげ》のことである。

俄然興味が湧いた。

漂う南朝の亡霊

飯も言葉も足りない時代、二人の天皇が共に譲らず、両立した歴史がある。京都に一人、吉野《よしの》に一人だ。

互いに相手こそが紛《まが》い物、ブードゥーよろしく呪い殺そうという執念には、すさまじいものがあった。

古《いにしえ》より、玉座の争いは日常茶飯事だが、遠慮会釈なくこれほど赤裸々に記された古書が残っているのも珍しい。

時は鎌倉の末期。

光明《こうみよう》が京都で践祚《せんそ》（皇位の継承）、たちまち異を唱えた後醍醐《ごだいご》が立ちはだかる。敗れた後醍醐が、京都から吉野に逃走して造ったのが吉野朝だ。

吉野が南朝なら、京都は自動的に北朝となる。

南朝＝吉野（後醍醐）

北朝＝京都（光明）

二人の天皇。

この異常な五六年間を南北朝時代（一三三六〜一三九二）という。

まだ武家社会が充分に育っておらず、おどろおどろしい呪術を駆使するシャーマンの親分、天皇が幅を利かせた最後の時代だ。

それから一進一退はあったものの北朝勢力が制圧、その後、南と北が「合一」する。

「合一」といえば耳に穏やかだが、対等合併というわけではない。

南朝が降伏したのである。南朝の後亀山《ごかめやま》天皇が、北朝の後小松《ごこまつ》天皇に降伏した。これが忌憚《きたん》のない真実だ。

場所は京都嵯峨野《さがの》、大覚寺《だいかくじ》において三種の神器を渡し、北朝の軍門に降った。

争い → 北朝天皇 / 南朝天皇 → 北朝による吸収合併 → 再び争い

しかし合一後も、南朝勢の反抗は終わらなかった。戦《いくさ》は半世紀以上にわたったが、ついに南朝の種は根こそぎ刈られて、北朝天皇系が代々玉座を継ぎ、現代にいたっている。

しかし西郷隆盛は不思議なことに、とうの昔に消滅したはずの南朝にかしずいていた。

西郷は押しも押されもせぬ、れっきとした尊南朝だ。

その証拠は西郷家のルーツだ。西郷家の始まりは肥後《ひご》（熊本）、菊池家の家臣である。

南北朝時代、菊池は南朝の雄、北朝武将、足利尊氏《あしかがたかうじ》を九州で迎え撃っている。

西郷の、変名の一つにも注目してもらいたい。

『菊池源吾』。

逆に読めば「吾《われ》、源《みなもと》は菊池なり」だ。

この辺は序の口で、二〇歳を過ぎたあたりに公然と南朝デビュー、舞台は薩摩の精忠《せいちゅう》組《ぐみ》。

もっとも精忠組という名称は、後の明治あたりになってからの後付けだが、倒幕の要として育ってゆく重要な組織である。顔ぶれは西郷隆盛を頭に大久保利通、吉井幸輔《よしいこうすけ》など、維新を主導した多士済々が揃っていた。

大老、井伊直弼を斬った「桜田門外の変」は、水戸藩によるテロだが、もともと精忠組との共同謀議の色が濃く、久光の締め付けで精忠組は直前になって離脱するが、一人だけしぶとくテロに加わっている。

この精忠組の柱は、尊南朝だ。

異論のある人には、大久保利通の親族会談録を薦めるが、はっきりこう記してある。

〈鹿児島における藩祖の諸廟《しょびょう》は、いうまでもなく遠いところにある楠公神社にまでも、お参りに行かれた。この楠公の宮は、公（大久保利通）などの若い時、楠公の忠精を慕って、若い者同士で造ったお社《やしろ》で、鹿児島から二里半もある伊集院《いじゅういん》という所にあった。公なども、材木を担《かつ》いで、小高い処《ところ》へ運んだりして建設したもので、造営のできた時は、家内中にもまいれと言われたので、令妹たちも皆、お参りに行かれたそうである。これは公の二三、四歳の頃で……〉（大久保利通の娘と三人の妹の談）

精忠組は、貧しい中から金を出し合って念願の楠公神社を建てている。

この楠公神社こそ、その名が示すとおり、南朝の武将、楠木正成を祀《まつ》る神社であり、南朝のシンボルだ。

若き西郷たちは、南朝にシビれていたのである。

「南朝を知らずして、日本を語るなかれ」

南北朝以後の歴史は南朝がキーワードだ。

しかし、いくら望月が声を大にして講演でしゃべっても、嗅覚を奪われた日本人はみな何のことかさっぱりピンとこない。

「南北朝？」

「南北朝正閏論《せいじゅん》とは何ですか？」

という案配だ。

そこで望月は、さらに声を大にする。

「南朝が実権を握ると、北朝は『朝敵』となる。逆に北朝が実権を握ると、南朝が『朝敵』となる。いいですかみなさん、六五〇年ほど前、五六年の間、この国には天皇が二人いて堂々と殺し合いを演じたのですぞ」

力こそ正義だ。武力で制圧すれば正統になる。

現代では思いもよらぬことだが、日本という国は玉座の奪い合いは不滅の揉め事だった。今だって男系か、女系かで、ガタついている。

最後は南朝が負けたので、忠臣武将楠木正成、新田義貞《にったよしさだ》、名和長年《なわながとし》、北畠顕家《きたばたけあきいえ》、菊池《きくち》武重《たけしげ》が、オセロ・ゲームのように、ばたばたと「朝敵」「逆賊」に引っくり返り、南朝勢力は下火になる。

南朝が負け、南の字も憚《はばか》られる時世となるのだが、風向きが変わりはじめた切っ掛けが一冊の本、『太平記』だ。

一三七〇年までに完成した作者不明の全四〇巻、大作である。

一貫して南朝寄りの軍記物で、『太平記』は暇をもてあましていたセレブの間で、静かに広まる。

政治性のない鎮魂のための書物だという見方もあるが、それはない。『太平記』はどう転んでも南朝に思いを寄せる知識人の片寄った仕事だ。

何より、作者不明がそれを物語っている。鎮魂なら当たり障りのない善行だから胸を張って名乗るはずで、作者に隠れる理由はない。

大作ぶりから、南朝ゆかりの武将に雇われた複数の学者が、ヤモリのように足音を盗んでの大仕事だと望月は睨んでいる。


時は下って江戸、徳川家康がじわり、じわりと北朝を押し返す。

徳川家康の先祖に注目すれば、それも道理、自主申告だが南朝武将、なんと新田義貞の血筋を名乗っているのである。

京でひっそりと暮らす北朝天皇へ圧力をかけ、いずれ廃帝を目論んでいたという説もある。家康の子飼い学者、林羅山《はやしらざん》(一五八三〜一六五七)が南朝正統論を代弁した。

朱子学《しゅしがく》を学んだ天才で、家康直々《じきじき》のブレーンとして召し抱えたのは羅山、二三歳のときである。

頑固者だ。

イエズス会の日本人修道士と地球論争を行ない、地球球体説、地動説という科学をバッサリと袈裟《けさ》斬りにし、地球は平面で動かないと怒鳴りまくったというのだから、天文学の知識はなく、頭も悪い。徹底した士農工商をもって民の支配をすべし、という差別絶対主義の支配者追随型学者の典型だ。

七四歳まで生きただけあって家康、秀忠《ひでただ》、家光《いえみつ》、家綱《いえつな》の将軍四代に仕えている。時の将軍と常にずぶずぶべったりの羅山は、自ら筆を執《と》って『本朝通鑑《ほんちょうつがん》』を著わし、南朝をよいしょと持ち上げている。

書物は強い。

口伝につぐ口伝で、こんがらがっていた南北朝を作者不明の『太平記』が南朝称讃ですっきりとまとめ、羅山の『本朝通鑑』が本格的に南朝を正当化した。

本は過去を変え、偽りの歴史に生命を吹き込む。書物は、恐ろしい力を発揮する支配者のツールだ。

それを知っているからこそ、秦《しん》の始皇帝《しこうてい》もナチス・ドイツのヒトラーも焚書《ふんしょ》という暴挙に出たのである。現代にも焚書はある。望月もやられたが売れている最中の絶版、出版社による自主規制もその部類だ。

書物はできあがってしまえば、不動だ。人間のように心変わりもなければ、酔って羽目をはずすこともない。なにがあろうとも不動で、未来永劫片時も休まず、語り続ける。

中身に共感する者はもちろんのこと、共感しない者でも、読み流しているうちに、本に取り込まれてゆく。

昔、本は家が買えるほどに高価だった。捨てられるわけがない。不思議な現象だが、その本が家にあるだけで中身が一家に感染するというのは本当の話だ。

南朝正統工作は、その後決定版が出る。

真打ち、天下の副将軍、水戸黄門《こうもん》こと水戸藩主徳川光圀《みつくに》（一六二八～一七〇〇）の登場である。全国に南朝の雨を降らせるべく、藩ぐるみの『大日本史』編纂作戦を命じた張本人だ。

この本が武士に莫迦受けし、後世、本人も予想だにしなかった大きな津波を引き起こすこととなる。

続いて天野信景《あまのさだかげ》（一六六三～一七三三）の『改正続神皇正統記』、頼山陽《らいさんよう》（一七八〇～一八三二）の『日本外史』、『南北朝正閏論』、津久井尚重《つくいなおしげ》の『南朝編年記略』（一七八五）や大草公弼《おおくさきみすけ》（一七七五～一八一七）の『南山巡狩録《なんざんじゅんしゅろく》』……数え出したら嫌になるほど、これでもか、これでもかと尊南朝の書物が続々と登場する。

じわじわとボディブローが効いてくる。

そして明治維新。あっと驚く事態が展開する。

天と地が一八〇度引っくり返って、それまで北朝正統論を奉じてきた朝廷が、一夜にして滅び去ったはずの南朝万歳に一変したのである。

瞬間移動だ。

腰が抜けるとはこのことで、たちまちそれまでの伝統的皇室祭祀の批判がなされ、踏みつけられていた南朝武将がゾンビのごとく復活した。

しかし、理由は伏されたままだ。

庶民の眼は維新の騒擾《そうじょう》に奪われており、この異変に気付かない。

見たこともない内乱に興奮した大衆の眼に映るのは煙と粉塵《ふんじん》、研ぎ澄まされた手槍を小脇にかかえて、ばたばたと往来を走り回る東西二軍の侍だけだ。

南朝天皇へのすり替えは、奥で深く、異常なほど静かに進められたのである。

さて、この世紀の大罪はどう濯《すす》ぐのか?

「我が日本は本日をもって、南朝天皇に替わる」

こんな威勢のいいことはできない。臆病者の作業は、陰湿でろくでなしだ。

やはり複雑にこうなる。

一八六九年(明治二)、南朝関係の神社の創建、復活が粛々とはかられはじめる。続いて南朝武将の子孫に贈位。明治天皇自らの意思だ。

表向きに考えれば、これほど妙なことはあるまい。

北朝天皇である明治天皇が、朝敵の南朝を称《たた》えたのである。

まだ街は戦の残骸があちこちに放置されていて、やることは山積みだというのに、ずいぶんの慌てようだ。それほど、ことは急を要していた。

理屈はいらない。人知を超えた存在を創造し、人心をまとめる。古い時代に幾度も成功している現人神を再び登場させたのである。人品骨柄《じんぴんこつがら》が分からぬようべったりと顔を白塗りにし、南朝の末裔《まつえい》を明治天皇として祭り上げ、「天皇は神聖にして侵《おか》すべからず」と徹底的に人目をごまかした。

明治の終わりには、わざわざ自分の皇居に、自分の祖先を殺そうとした敵将楠木正成の銅像を公然と建立するという表向き奇怪なことをやった。むろん南朝を正統化するためだが、まるでホワイトハウスに東條英機《とうじようひでき》の巨大像を設置するようなものだ。

そして不可解と言えば、あまりにも不可解なことが起こる。

一八八三年（明治一六）、岩倉具視、山縣有朋主導で編纂した正式な『大政紀要』で、北朝天皇に『天皇』の号を使わず、『帝《みかど》』を用いたのだ。

明治天皇の祖を、天皇と呼ばないというのだ。天皇は南朝に限る。

ありえないことだ。

世が世であるなら、とんでもない罰当たりだが、世が世であったため、平気である。

そう、明治で南朝天皇にすり替わっているのだから、南朝を「天皇」、北朝を「帝」と称しただけである。

万が一のすり替え発覚には、あらかじめ南朝を正統として敬《うやま》っておいてあるので、たとえバレたとしてもこちらが正統、何の不都合があろうと開き直れる。

南朝神社の創建、南朝武将の復活、贈位、天皇神格化、不敬罪の徹底、楠木正成像の建立……みなバレた時のための「結界」だ。

南朝勢は、さらに完璧にことを進める。

一九一一年(明治四四)の議会決議だ。

帝国議会で南朝を正統と押し切り、教科書を改訂してしまったのである。

ひどい話だが、議会は子供の教育にまで手をのばして、南朝を植え付けた。これでは北朝勢の立つ瀬はない。

が、これで勝負はついた。

第二次世界大戦後も、その方針に変わりはなく、天皇の代数は負けたはずの南朝天皇をもって数えている。

北朝から南朝へ。

いったい何がどうなったらそうなるのか。やはりスタートは明治の『御一新《ごいっしん》』だ。

慶応から明治になったので『御一新』なのではなく、北朝を葬り、南朝のDNAを持った、いや持っていると見られる少年が後釜に座ったので『御一新』なのだ。

将軍の世継ぎ

望月は、一階をぐるりと足早に回ってから、二階に上がった。

『楠公と西郷隆盛展』。

なかなかの力作だった。

地域の歴史資料館などというものは、たいがい役所の中堅幹部の天下り先になっていて十年一日のごとし、こじつけ的地元自慢のオンパレードだ。

ところがここは違った。

じっくり読み進んだが、縁もゆかりもある南朝という陽溜《ひだま》りで西郷が目覚め、維新の顔になって行く様子が、順序よく眼に浮かんでくる傑作だった。


井上は解説に読み入っている。

「西郷の先祖は、南朝武将菊池氏の家臣ですか……」

知らなかったらしい。望月が答える。

「ええ、なにせ精忠組のリーダーで、変名は菊池源吾ですから」

「どうも、そのようですなあ。しかし、なぜ水戸藩が南朝勢の震源地になったのでしょうかね」

「将軍家への対抗だと思います」

一般には、無礼千万にも林羅山が日本の祖は支那《シナ》の「呉《ご》」だと主張したので、頭にきた光圀が日本固有の歴史書を『大日本史』で整えた、ということになっている。それは表向きの理由だ。

「つまり、どういうことですか？」

肩を並べて、階段を下りながら井上が問うた。

「将軍の座をめぐってのことでしょう」

家康が死に、将軍二代目が家康の三男の秀忠。三代目は誰か？

徳川家康の孫、光圀は咽から手が出るほど、その座が欲しかった。そろそろ自分にまわってもいいころだ。

ところが歯牙《しが》にもかけられなかった。こうないがしろにされては、天下の副将軍と言われてヘラヘラ笑っている場合ではない。

「いつかは自分も将軍職！」

ナンバー・1《ワン》への人一倍のこだわりがあって、それが『大日本史』の編纂へと向かわせた動機だというのが望月の診断所見だ。

「満場一致の世継ぎはありません。後継者選びとごたついたお家騒動は、必ず付いて回るものです」

秀忠の長男が次の三代目、家光。ここまでは、まあ比較的スムーズだった。いよいよ四代目である。

後釜を狙って、家光の実弟と長男が内輪で火花を散らしたのだ。

普通の光景である。

いいかげんにやめておけばいいものを、うじうじとやっているうちに「あいや、しばらく。見れば、家内に取り込みある様子、ならば言わせていただきたい。将軍職の独占はいかがなものか」と外部から声が掛かった。

徳川御三家、すなわち尾張藩（家康の九男）、紀州藩（家康の十男）、水戸藩（家康の十一男）の持ち回りにしてもよいではないかと、水戸藩、紀州藩が割って入ったのである。

自民党だ、民主党だ、左翼メディアだと、国政が混迷すると、北方領土、竹島《たけしま》、尖閣《せんかく》、周辺外部の野望を刺激する。

だが期待も虚《むな》しく、またも尾張藩系。つまり家光の長男、徳川家綱（一六四一〜一六八〇）がうまく切り抜け、四代目将軍職を世襲した。

やっぱりそういうことになって、光圀はいい面《つら》の皮である。

ここまで話すと井上は、俄然興味が湧いたのか、一階入り口わきの小部屋に望月を誘った。

「それじゃ光圀は、不満タラタラ、恨《うら》みモンモンですな」

「ええ、御三家は元を正せば同じ三つ葉葵《あおい》の家紋。本家気取りの将軍独占はやり過ぎだろう。そろそろ、うちがなってもおかしくない。こう再三安めを踏まれたら恨みも深くなります」

二人がソファーに腰を下ろした。

「四代目将軍就任。天皇将軍宣下《せんげ》の儀を執り行なったのですが、これが異例でしてね」

「ほう、そりゃまたどうして？」

井上が身を乗り出してきた。

「将軍宣下は、将軍がうやうやしく京都御所に出向いて行なうのが慣例でした。しかし、たかだか一〇歳の餓鬼がそれを破った。江戸城に呼びつけたのです。光圀はカチンときた。天皇軽視の態度は何だとね」

「インネンですか？」

「それもありますが、光圀がもともと皇国史観の持ち主だったというのも理由です」

「根は深そうですなあ」

将軍世継ぎは無事終えたが、世は太平とはならなかった。

慢性的な飢餓列島、百姓でもない、武士でもない、ただの空腹難民が眼だけぎょろつかせてあちこちにたむろしている。

不穏《ふおん》だ。

不穏であるが、腹が減り過ぎて百姓一揆も起こせない。役人も商人も腐敗の噂はいっぱいなのだが、だからといって文句を言えば、過酷な取り締りをもって臨むという武断政治。

厭世的《えんせい》な職なし貧乏人が増え続け、餓死、病死、娑婆《しゃば》で生きられなくなれば、破れかぶれになって暴れない方がおかしい。死にたいというよりも、生きたくないのだ。

「そこで、『慶安《けいあん》の変』が起こります」

「聞き慣れない事件ですなあ」

「そうでしょう。史料が少ないうえにデリケートな問題を含んでいて、文科省ではほとんど触れません」

「そんなにビミョウですか？」

「ええ、国家転覆《てんぷく》計画ですから」

「へーっ、そりゃまた、ずいぶん……」

井上は眉毛を上げた。

「事件は一六五一年の夏、油比《ゆい》（由井）正雪《しょうせつ》という名は？」

「あっ、聞いたことがあります」

「そうでしょう、丸橋《まるばし》忠弥《ちゆうや》はどうです？」

「それも耳にしたことがある」

と言って、顎《あご》をさすりながら訊いた。

「はて、歌舞伎でしたかね」

「いえいえ、ですから『慶安の変』ですよ」

「そうでした」

井上は苦笑した。

事件そのものは未遂で終わるが、この大騒動は支配者、徳川幕府を大いに揺さぶったのである。

恐るべき慶安の変

「かいつまんで話します」

望月は気持ちを改め、井上を見据えた。

『慶安の変』。

首謀者は油比正雪（一六〇五～一六五一）だ。

下々による反乱の能書《のうがき》はたいがい「民百姓の救済」だが、慶安の変は違う。大胆にもなんと「幕府転覆」である。

計画の一部始終はこうだ。

まず弟子の丸橋忠弥が江戸城下に火を放つ。驚いて城から出て来た大老以下幕臣を電光石火、ばったばったと叩き斬りまくる、という単純にして明快な筋書きだ。でもって油比正雪本人が京都で、また金井半兵衛《かないはんべえ》が大坂で決起する。

同時三カ所テロ。東西で騒擾《そうじよう》を煽《あお》り、手薄になった隙に天皇を擁して吉野、または高野山《こうやさん》に逃れる。

そこで陣を張って、天皇直々に将軍討伐の勅命を賜《たまわ》り、幕府を朝廷の敵、すなわち「朝敵」に仕立て、大々的に兵を挙げ国家転覆を図る。

「いやはや」

首根をぽんぽんと叩く井上に問うた。

「何かに、似てませんか？」

「えっ、そう言われれば何かに……あっそうか、後醍醐天皇じゃないですか？　このやり口は南朝宣言ですよ」

「そうです。後醍醐天皇は吉野に籠もって、南朝を宣言し、逆らう者は朝敵として鮮明に色分けします」

「見習った？」

「ええ、コピーです。南朝といえば吉野、高野山ですから」

和歌山、空海《くうかい》が開いた高野山も、南朝の縄張りだ。吉野に引けを取らない。

吉野から徒歩二日の圏内にあり、後に役行者《えんのぎょうじゃ》が開創した高野山の観心寺《かんしんじ》は、後醍醐天皇の子で南朝第二代天皇、後村上《ごむらかみ》の陵がある。さらに楠木正成の菩提寺でもあり、本人の首が納められている。

吉野と高野山は南朝の本拠地だ。そこに北朝の天皇を連れ込んでどうしようというのだから、『慶安の変』は南朝革命確信犯だ。

「ちょっと待ってくださいよ、先生」

首を振りながらしゃべった。

「瓜二つの事件がありましたよね」

「よく気付きました」

維新の先駆け、「八月一八日の政変」だが、詳しくはあと回しにした。

とにかく『八月一八日の政変』はそっくり真似ている。

さて、『慶安の変』は幕府に露見し、油比正雪は駿府《すんぷ》（静岡）梅屋町《うめやちょう》で捕方《とりかた》に包囲され自刃。それを知った金井半兵衛は大坂で腹を切り、江戸にいた丸橋忠弥も捕まって磔《はりつけ》になっている。

話はこれからだ。

正雪の遺品を吟味した幕吏は、一通のとんでもない書状を見つけてしまうのである。

なんと紀州藩主、徳川頼宣《よりのぶ》直々の決起を促す書付だ。もしこれが本当ならば、『慶安の変』は徳川御三家の一つ、紀州藩の謀反《むほん》となる。

黒幕は紀州公なのか？

だが後に、この書状は偽造であったとされ、紀州は表だった処罰は受けずに落着した。

文献を読みあさって取りまとめると、だいたいこのような体裁になる。

「おかしいと思いませんか？」

井上はそうですか、という顔をした。

「気付きませんか？」

もう一度聞くと、人の良い顔で、はてと首を捻《ひね》った。

望月は油比正雪の正体に迫った。神田で軍学塾『張孔堂《ちょうこうどう》』を主宰。面構えもよく評判は上々で、一時は三〇〇〇名の塾生を抱えたという。

三〇〇〇名は誇張で、せいぜい三〇〇だったという説もあるが、しかし、たとえ仮に三〇〇〇名であっても、幕府転覆は無理だ。武器弾薬も持たず、一介の私塾にできるものではない。

後世伝えられている計画は、漫画チックだ。

江戸に火を放ち、慌ててぞろぞろと城から逃げてきた連中を討ち取るなど、カルガモ相手ならいざしらず、現実にはありえない。また警護厳しい京都、大坂でどうやって反乱を起こすのか、まったくもって阿呆らしい。

まあしかし、千歩譲って仮に突破できたとする。しかし肝心の天皇が動くわけはない。無冠の連中に、倒幕の勅旨を出すほど愚かではないし、その前に、市井《しせい》の塾長ごとき軽量級の正雪に天皇が面会するだろうか？

「ありえません」

苦笑まじりに望月が続ける。

「正雪捕捉の場面もおかしい。故郷の人目につきやすい駿府は梅屋町、町年寄梅屋太郎《まちどしよりうめやたろう》右衛門《えもん》宅に宿泊中、いとも簡単に奉行所捕方に御用です。大革命家としてはまことに不用心で、護衛隊員がいた様子もない。井上さん、正雪はコソ泥ではないのです」

「国家転覆の主《ぬし》ですな」

「間抜けです。それに残党はどうしました？　騒動後はぷっつりとかき消えたように静かなものです。革命決起直前なら、大掛かりな戦支度《いくさじたく》を整えていたはずですが」

井上は、ようやくなにかが腑に落ちて来たようだった。

「革命戦士の消息情報はゼロ」

「なるほど……でたらめですな」

「ええ、本物ではありません」

ではこの事件の本質は何か、と井上が質問を投げかけた。

「油比正雪本人を知れば、自《おの》ずと解答は見えてきます」

正雪は、静岡は油比（由比）にある紺屋《こうや》の倅《せがれ》だ。

出生場所の油比をもらって、油比とつけたのだが、幼いころから呑み込みの早い子供で、一六歳で江戸に出る。

丁稚奉公として親族に預けられ、江戸の水が合ったのだろう活発に動き回り、そこで運命的な出会いをする。

会った相手は、軍学者の楠木《くすのき》正辰《まさたつ》である。

さて、ここに楠木が登場する。

楠木正成の子孫というふれこみだが、戸籍がない以上よく分からない。というのも、歴史が完全にこの人物を消してしまっており、『慶安の変』以降も、消息は霧の中だ。

油比は楠木正辰を師と仰ぎ、弟子となってめきめきと頭角を現わす。

師に気に入られ、娘の婿養子になるのは昔話の定番で、名を楠木正雪《まさゆき》と名乗った。

油比正雪ではない、楠木正雪である。

お分かりだろうか？

その名は、かの南朝武将、楠木正成の長男、正行《まさつら》に憧れて模したものだ。南朝に傾倒していたからこそ、そう名乗りたかったのだ。

場所はお江戸、神田のど真ん中。その道場門に、『楠木正雪』と墨痕《ぼっこん》鮮やかに南朝の大看板を打ち付け、北朝天皇を擁《よう》する江戸城を睨み上げたのである。

完璧な厄介者だ。

一廉《ひとかど》の人物だったという。

噂は木枯らし、春風、台風に乗り、全国の隅々まで広まって、各地の南朝武将を祖に持つ大名の耳に入り、仕官の誘いがあちこちから来る。

正雪は動かない。

「せっしゃなど江戸での私塾ていどが、ちょうどいい。仕官など、とてもとても」

腰を据えたままだ。

それればかりか、畏《かしこ》くも取り込みたい将軍家からの声掛かりにも応じなかった。

たまげた話だが、またその心意気が江戸っ子の共感を呼び、楠木正雪は本物だと人気の的。

袖にされた幕府は、正雪をますます危険視した。

幕府は、北朝天皇を擁立している。今どき楠木正雪を名乗り、北朝に調子を合わせず全国の南朝勢と結び付けば謀反《むほん》の目となる。北朝の鎌倉幕府は南朝に躓《つまず》き、結局滅んでおり、二の舞は御免こうむりたい。

のさばらせてはならぬ。

時は四代将軍の跡目《あとめ》継ぎでごたついている時分だ。時間はなかった。

「それで、芽を摘《つ》むことにした……」

井上が相槌のように頷く。

「ええ、調べれば怪しさがつのったのか、つのらなかったのか、それはそれとして、悪意を持って逆手にとり、幕府から仕掛けることにします。事件は一六五一年五月、三代将軍家光が死んで、まさに世継ぎ争奪戦のさなかの九月、研ぎ澄まされたようなタイミングで事を起こす。茶番だからできることで、真の狙いは紀州藩です」

口実はありもしない、謀反容疑。

生意気で厄介者の楠木正雪とその門下生を一掃し、その陰で糸を引く黒幕として紀州藩主、徳川頼宣を臭わせる。

一石二鳥だ。

非力の正雪などどうでもいい。本命はただ一つ、政敵の紀州だ。

策を巡らし、正雪謀反を口実に紀州藩城下に幕府の与力《よりき》二十余騎を派遣した。与力二十騎といえば、馬回りを入れれば一五〇人ほど、地元に潜らせている幕府の目付、間者《かんじや》、隠密も総出で正雪の残党を調べ回った。

城内外は、てんやわんやである。

騒ぎは最大の娯楽だ。あっという間に全国に伝わる。謀反ありし時は、我が軍勢を差し向けますぞ、と幕府側は結束ががんがん固まってゆく。

首尾は上々、引き締め地均《じなら》しは完璧である。

紀州は肩をすぼめ、口を噤《つぐ》む。

その翌月である。幕府が何食わぬ顔で、四代将軍の座を家光の長男、家綱に引き渡したのは。

紀州封じ込めに成功した幕府には、まだ片づけが残っている。

楠木正雪の名はまずい。楠木の名は、裾野が見えなくなるほど広がっている南朝の残党に刺激を与える。

楠木を抜き消し、文献上、姓を出身地の油比とねじ曲げたのだ。

「真実を妨《さまた》げるのは、書物の役目」

「でも先生、南朝勢は根絶やしにしてたのではなかったのですか？」

「井上さん。後醍醐天皇の子は大勢います。分かっているだけでも尊良《たかよし》と恒良《つねよし》は北陸に逃れ、懐良《かねなが》は九州へ渡り、宗良《むねよし》は新潟、長野に落ち延び、義良《のりなが》は後村上天皇となって近畿で踏ん張っています。たぐいまれなる絶倫男ですからそれ以外にも一〇人、二〇人、子供は何人いたか分からない。子種は全国に無数と言っていいほど散らばっていました」

「なるほど、血は結束するにはもってこいですから、長生きしたかったら眠れる南朝を起こすな、ですな」

「ええ、いつの時代も南朝再興の火種はくすぶっておりまして、南朝は禁句、楠木もだめ。したがって『慶安の変』は今後南朝革命に発達しそうな芽を摘んだのみならず、たんなる大飢饉の不満分子の陰謀とし、この世に南朝勢力などないように装ったのです」

「で、先生」

井上が姿勢を正した。

「ところで、徳川光圀の方は？」

「おっと、水戸の黄門様を忘れるところでした」

「そろそろボケが」

井上がカッカカッと大口で笑った。

笑えない。この一言が、望月の心にずしりときた。実際問題として、近ごろ記憶が不安定になっているような気がするのだ。

いわき駅のタクシー乗り場あたりから病院までの間が、スコンとまだ、空白なのである。

ひょっとしたら、ショック性の記憶障害に年齢的痴呆症が重なっているのであるまいかなどと、気を揉んでしまうことがあって、さすがの楽天家も、そのことを思えば内心穏やかではない。

老人性痴呆症など、美学に反する。調べれば、もっと心配になるので、触れないでいるのだが……。

南朝革命同盟

『慶安の変』の三年後、水戸光圀が結婚する。

相手は前関白《かんぱく》、近衛《このえ》信尋《のぶひろ》の次女だ。

もともと公家好みだったのか、偶然だったのか分からないが、黄門様の心はぐっと京の都に傾く。

光圀が、したり顔で南朝皇国史観による『大日本史』の編纂を命じたのは結婚して三年ののちであり、公家の女房をもらったことが引き金になったのであろう。人情などそんなもので、望月だって皇族と結婚していれば、気持ちは今と違っていたはずである。

水戸黄門は反骨だ。将軍席の尾張独占は認められない。

対抗にはなんといっても南朝勢力の力を利用するのが一番だ。むろん先祖が、南朝の武将、新田義貞であることも大きな理由だが、若い時から、ぼんやりとその作戦が頭にあった。

黄門様は湊川《みなとがわ》の戦いで死んだ楠木正成の功績を称え、かの地に立派な墓を建てた。墓石に「嗚呼忠臣楠子之墓」と自らの手で記したのは、光圀六五歳の時だ。

今は、その場所に、湊川神社が建っている。建てたのは明治天皇その人、一八七二年の建設である。

さて『大日本史』編纂の切っ掛けは何か?

やはり何と言っても『慶安の変』だ。

予想外の波紋を起こした『慶安の変』をリアルに目の当たりにし、幕府を揺さぶる妙手は南朝正統論に限る、と確信したのである。

『大日本史』は長大だ。とてつもない。

光圀亡き後も、水戸藩ぐるみの大事業として延々と続けられ、途中頓挫しそうになったが、世が明治になると、一藩がやりかけの南朝万歳史を公然と政府が後押しし、一九〇六年(明治三九)に完成する。さすがは南朝政府、露骨な南朝賛美である。

この本が一心不乱に目指したものは南朝正統論以外になく、これぞ水戸学である。

水戸学は南朝史観の中核をなし、歴史にその名を残すことになるが、時が下って幕末時、水戸学の大家は何と言っても藤田東湖《ふじたとうこ》だ。藤田東湖は遣隋使で聖徳太子の側近、小野《おのの》妹子《いもこ》を先祖に持つ名門の出で、水戸藩の政治顧問である。

続々と全国の思想家がこの男の許《もと》を訪ねた。

東湖は第二、第三の楠木正雪（油比正雪）を造り出してゆく。

一八三九年の冬、熊本藩士の横井小楠が東湖の門を叩いている。

酒を温めて寒園に夜蔬《あおもの》を摘む
虚心膝を交えて総《す》べて予《われ》を忘る
議論熱せず水よりも冷かに
集義内外書を読むに似たり

この詩は、横井小楠が藤田東湖を訪問して詠んだ漢詩を、口語調にしたものだ。思想家同士が交われば、剣道の試合のように激しく相まみえるものだが、しかし二人はそうならずに、瞬時に意気投合したと小楠は心境を詠んでいる。

横井小楠は福井藩に請《こ》われて政治顧問になり、明治政府の参与になった大人物だが、名に楠を頂戴しただけあって南朝崇拝の塊《かたまり》だ。

もっと遠くからもやってきた。長州藩の論客、吉《よし》田《だ》松陰《しょういん》もその一人だ。

そして我らが西郷隆盛。

西郷も江戸から足をのばし、居ずまいを正して東湖の水戸学に耳を傾けている。

幕府が切羽詰まっている折、はてさて藤田東湖、横井小楠、吉田松陰、西郷隆盛の共通項は何か? 尊南朝以外にない。同じ思想を持つ実力者が集まれば、独《ひと》り善《よ》がりの絵空事ではない。それを具現化しようとする考えが芽生える。

ここに南朝天皇を中心とした国造りを目指す「南朝革命同盟」ともいうべき叩き台が完成した。

水戸藩 藤田東湖
薩摩藩 西郷隆盛
長州藩 吉田松陰
肥後藩 横井小楠

全国南朝勢が、アメーバのように触手を伸ばし、つながりはじめる。

会って口を開けば「何と言っても南朝ですな」だ。

しかし、いったい南朝の血を引く尊《とうと》きお方が、どこぞにいるのか?

当然の問いだが、こっちだ、あっちだと自薦他薦の声が全国から上がる。

怪しげなガセネタもあれば、そうでないものもある。信じたいような信じたくないような、嬉しいような嬉しくないような、まずは手分けをしての捜索だ。

次の議題は、南朝天皇を見つけ出したとして幕府と戦になった場合、錦の御旗につくか、葵の御紋につくか、はたまた藩主の命に従うかという迷いもある。並の武士ならここでふらつく。しかし南朝勢に行き違いはない。忠義を南朝天皇崇拝で破壊する。

鉄壁の掟、他の侍の教育、マインド・コントロールまで議題にのぼったであろうことは想像するまでもない。

望月はここまで話し、西郷の個人的イメージを語った。

「体格や顔つきから武人、軍人と思われがちですが、そうではなく、言ってみれば学者タイプです」

望月が微笑む。

「そう言われれば、そんな気がしないでもない」

「といいますと？」

「だいいち刀が使えなかった」

「おや、またそれは、どういうことです？」

「右手ですよ。子供の頃、喧嘩にまき込まれ、右腕の筋を斬られましてね」

そう言われれば、今まで西郷が剣豪だったという話は聞いたことがない。刀を思いどおり振り回せなかった、という井上の話は納得する。

「ですから西郷どんは、いつも軽い竹の鞭《むち》を持って離さなかったといいます」

「ほう……やはり、そうですか」

望月は合点し、頷いた。

腕の筋は初耳だったが、常に竹鞭を持ち歩いていたという話は複数の書物で出会っている。竹鞭は西郷のトレードマークだ。

――うむ……――

フルベッキ写真の西郷も、比定理由は顔や背丈だけではない。決め手の一つは竹鞭だった、四六人中、持っているのは唯一その大男だけである。

「不自由だったのは、右手ですね？」

念を押した。

「ええ」

井上は頷いたが、望月の念押しが気になったと見え、言い出すのを待っている。

望月は口を閉じ、『フルベッキ写真』と『一三人撮り』を頭に浮かべていた。

二枚の西郷と思《おぼ》しき侍の立ち方は、半身、いずれも左肩を前にしている。

人間は、不自由な方を庇《かば》い、隠す心理が働く。不自由だからこそ、半身に立ち、右腕を隠したのではあるまいか。

「なるほど……」

望月は思案気にもう一度呟いた。

「どうしました？」

「つまりですな」

と説明しようとした時、背後から声が掛かった。

「どうも、お待たせしました」

奥から出てきたのは資料館の館長だった。

井上の知り合いだ。

歳の頃は七〇前後だろう、顔は輝いている。初対面の印象というのはずっと残るものだが、二日間くらいぶっ続けで仕事をするようなタイプに見えた。丈夫そうである。目の前の井上といい、ご両人の若さは芋焼酎のせいではあるまいか。

「もう、ご覧になられましたか？」

「ええ、ぐるりと。二階の『楠公と西郷隆盛展』は力作です。大変参考になりました」

望月の言葉に、館長は嬉しそうに顔を崩す。

研究熱心さは展示に表われていたが、話すとそれ以上だった。何より西郷に惚れ込んでいる。

口を開けば、西郷が好きで好きでたまらないといったふうで、まるで身内だ。ひょっとしたら、血のつながりでもあるのかもしれないと思うほどの身贔屓《みびいき》で、西郷南洲顕彰館長にふさわしい人柄である。

それに対して、大久保利通の点数は辛《から》かった。

政治的評価はともかく、人間的な面で如何《いかん》ともしがたいものを感じているようである。

竹馬の友であったにもかかわらず、大久保は自分が久光の側近になったとたんに、西郷をライバル視し、なんと命すら狙いはじめたのだという。

西郷への嫉妬は悪魔的だ。斉彬に抜擢された西郷が、めきめき頭角を現わしてくる姿に羨《うらや》みつつも、じっとそのやり方を眺めた。斉彬亡き後、君臨した久光に取り入った大久保は、かつての斉彬と西郷の関係になろうとした。自分の出番、巨大な西郷は難儀以外の何ものでもない。

その結果、西郷を蛇のように陰湿に追い詰めて殺し、薩摩を裏切った不埒《ふらち》者という位置付けである。

さっぱりとして明快。数年前、取材でこの地を訪れたときに、行く先々で出くわした感情と同じだ。それが鹿児島人の、偽らざる気持ちなのかもしれない。

館長がしゃべっている間、井上は一言も口を出さなかった。

隣に黙って座っているばかりなので、何か嫌なことでもあったのかと思ったが、たんに邪魔はしたくないという配慮のようだった。

望月は、頃合いを見計らって本題を切り出した。

「西郷ではないかという写真が、こちらに持ち込まれたことはありますか?」

「持ち込まれたことはあります」

館長は言ってから、首をきっぱりと横に振った。

「しかし西郷どんの写真など、滅相《めっそう》もありません」

否定の仕方は、西郷の傍《そば》にずっと仕えていた秘書のようである。

「撮っていません」

そう断言してから付け加えた。

「西郷は、月照と共に他界したのです。この世にいない己に、写真は無用。それが西郷どんという男です」

なるほど気持ちは分かった。西郷を慮《おもんぱか》れば、きっとそう思うに違いない。

だが写真は別だ。

館長が否定したからといって、なくなるわけもなく、世間が西郷の写真など存在しないと否定すればするほど、まつろわぬ作家は熱くなる。

西郷は媚びない男だ。さりとてこだわる男でもない。もし藩主が一緒にいて、供の写真を所望《しょもう》したら断わらないのではないだろうか。

館長の熱い話は、たっぷり一時間半は続いた。話というより、よくまとまった講演を拝聴しているようでもあった。
まだまだ伺いたいというのは偽らざる心境だったが、次の時間が押している。
二人は西郷南洲顕彰館を後にした。
車に戻る途中、勝海舟の石碑に寄った。
勝が、西郷を哀れんだ詩が哀しかった。

勝海舟の歌碑。西郷への哀れみが刻まれている。

ぬれぎぬを
干そうともせず
子供らが
なすがまにまに
果《は》てし　君かな

3

革命迫る

最後の逗留地

車に乗ったとたんにまた、ざっと一雨きた。

乗るとスコール、降りると上がる。この小気味よい減《め》り張《は》りは、孫悟空《そんごくう》の頭上に、日除け、雨除けになってついて回る觔斗雲《きんとうん》のようでもある。

街中を通り過ぎたあたりだった。

井上が、バックミラーに眼をやって首を捻《ひね》った。

「妙な偶然があるものですね。さっきから同じ車が……」

「……」

そういうことなら、妙でも偶然でもない。片方の眉を上げ、痛いくらいに身体をよじって後方を見た。

さては、いわきの山中で襲った連中が九州の南端まで追っかけてきたのか?

疑惑の眼を向けると、雨の彼方にうっすらと霞んだ車が見えた。そういう気がしないでもない。

「白い車ですか?」

望月は、眼を細くした。

黒い人影が二つ、運転席と助手席で揺れている。

「ええ、今朝も……あの車……たしかホテル脇で見かけたような……」

と井上。

「建物横の路地ですか？」

「たぶん……」

と言いかけた井上は、はて気のせいかなとかぶりを振った。

――そろそろ、お出ましか……――

暗鬱《あんうつ》な気持ちになった。だからと言って今さら戦《おのの》き、じたばたする歳でもない。

言論の敵に好きなようにされたのでは、望月真司の沽券《こけん》にかかわる。こっちは幾度もやられているので胆《はら》の据わり方が違う。人を狙うということがどういうことか、頭のイカれた連中にきちんと思い知らせてやる必要がある。望月はもう一度後方を睨《にら》んだ。

尾行には、いつもの手しかない。気張ることもなくショルダー・バッグからデジカメを出す。

前方の信号が赤に変わった。

井上が止まると、後ろの白い車が後についた。

その瞬間を待ち構えていた望月は、タイミングよくフラッシュを放った。

法を犯す者は真実の記録を嫌がる。証拠の一枚だ。

「先生、何を撮っているんです？」

少し驚いた口調で訊いた。

「な〜に……ちょっとした趣味でしてね」

ほのぼのと答えた。説明すればややこしくなるので、思ってもみないことを口にする。

「雨の日の後部座席。そこに漂う侘《わ》び、寂《さび》の世界を少々……」

「侘び、寂ですか……」

腑に落ちない声を聞きながら、望月はさらに二度続けてフラッシュを放った。

「妙な趣味でして」

「……」

呆《あき》れたのだろう、無言が返ってきたが、たちまち敵に変化があった。望月の車が動いても白い乗用車は直進せず、道を曲った。嫌がったのか、それとも、もともと尾行は濡れ衣で、本当はサラリーマンの昼飯帰りだったのかもしれない。

——よし！——

姿勢を戻した。

「先生も、変わってますねえ」

井上が、しみじみ言った。

「はい」

望月が応じる。

「物書きは、たいがい普通ではありません」

車は住宅街を走っている。

両側に連なる高い塀。所々、無駄を削《そ》ぎ落とした松が高い塀上に顔をのぞかせていた。

「この辺りは加治木町《かじきちょう》と言います。少々趣《おもむき》が違いましょう？」

神妙に車が進んでゆく。

「かつての、武士邸宅ゾーンです」

「西郷の出身街も、たしか加治！」

「ああ、西郷どんは下級武士が住む加治屋町。こちらは加治木町、ぜんぜん違います」

そう言って井上はステアリングを忙《せわ》しなく切ると、ひときわ目立つ白い塀の前にぴたりと車を停めた。

古い門を潜った。

いい庭だった。手の入った瑞々《みずみず》しい木々が、ほどよく配置されていた。

濡れそぼった丸い踏み石、青空から降りそそぐ陽の光、雨上がりの匂い、長い年月に磨かれた石灯籠に、えも言われぬ野趣《やしゅ》があった。

座りっぱなしでこわばっていた身体が、ゆるゆるとほぐれる。

濡れた踏み石を伝って、立派な玄関にたどり着く。

──これはまた……──

引き戸は紅葉と鳥の浮き彫り、感心するほど念の入った設《しつら》えだ。

現われたのは、茶色の結城紬《ゆうきつむぎ》を疎漏《そろう》なく身に着けた年輩者だ。豊かな銀髪を後ろに撫《な》でつけている。

「すっかり顔を見せんとですな、井上さん」

「すまんこつです」

「よかよか」

「こちらが、お話ししておりました作家の望月先生ばい」

春日幸四郎《かすがこうしろう》と名乗った。ちらりと目を合わせ、ほんの少し顎《あご》を引いただけだ。

「どうぞ」

春日は、目を合わせずに促《うなが》した。

長い廊下を着物の裾《すそ》を翻《ひるがえ》しながら前を歩き、裏庭に面した部屋に二人を通した。

渋い漆喰《しっくい》壁、繊細な柱、ここは京都かと見紛《みまが》うほどの数寄屋《すきや》造りである。

春日は座布団の位置を正して座り、卓を挟んで望月と井上と対面した。

望月の右手、開け放した縁側からは手入れの行き届いた日本庭園がほどよく広がっている。はるか遠くの空と大胆な築山《つきやま》、見事な対比だ。

「すばらしい」

世辞ではない。

鹿威《ししおど》しがコーン、そしてまたコーンと律儀に音を立て、浮世とまったく隔《へだ》たった不思議な世界を造っていた。

一瞬、何もかも忘れ、人生の道のりを振り返ってみたくなるほど、懐かしく、うたかたの風情を感じた。

見とれていると茶が運ばれてきた。

無言で頭を下げた和服美人は、夫人ではない。娘か、いや、手伝いかもしれないが、用が済むとすぐに襖《ふすま》の向こうに引っ込んだ。ほのかな白檀《びゃくだん》の香《こう》が残った。

「先生のご著書を、読ませていただきました」

庭から望月に、ゆっくり視線を移した春日が、切り出す。

「どの本でしょう?」

「全部です」

春日が、わずかに首を動かす。

視線の先を追うと低い書棚があり、望月の著作物がずらりと背を向け並んでいた。

「恐れ入ります」

望月の顔がほころんだ。

「どれも思い切った作品ですな」

表情は笑っていない。渋い湯呑みを手に取ったかと思うと、雑談にかまっている暇はないというふうに背筋を伸ばし、事務的にしゃべった。

「御用向きのほどは？」

「西郷さんを、深く追いたいと思っています。何かエピソードでもありますれば、ぜひ」

「うむ……」

太い溜息が聞こえた。

「西郷を持ち上げた作品は、正直もううんざりです。先生もその口ですかな？」

声は硬い。手加減はなさそうだが、少し奇妙に感じた。鹿児島の人間は、ほぼ西郷どんと呼ぶのだが、目の前の男は呼び捨てである。

春日は油断のならない眼付きで、返答しかねている望月の顔を正面から捉えた。

「西郷は裏切り者です」

過激な発言に、井上を見たが、庭に顔を向けたままだった。意外な展開である。

「うちのご先祖がひどい仕打ちを受けたということもありましょうが、それを割り引いても西郷のやり口はあまりにもひどい」

「どういうことでしょう」

春日は、視線を茶碗から上げた。

「西郷は大博奕《おおばくち》を打って幕府を倒すと、戊辰の瓦礫《がれき》をそのまま残して薩摩へ帰国し、何をするのかと思えば、日が な温泉湯治《とうじ》だという」

「……」

「このあたり一帯は、武士の世が終わるという未体験の不穏な噂に、夜もおちおち眠っていられなかった。これからどうなるのか、戦々恐々と肩を寄せ合って不安に戦《おのの》いているというのに、本人だけは禄高を上げてもらって、来る日も来る日も極楽三昧とは、足軽の分際で、いい気なものです」

口調は、まだ西郷がどこかで湯治でもしているように苦々しい。

「幕府を倒したのはカネ目当ての長州じゃない。不器用でまっすぐな薩摩武士です」

重く続けた。

「倒幕は我が先人の尊き命と引き換えになし得たもので、これは断言できます。ならば中央政府は東京ではなく、薩摩になくてはならぬはず。違いますか、先生」

分からぬでもない。

「それをあの男は、政府を持ってくるどころか、廃藩置県などという莫迦なことをしでかして、功労の武士の魂《たましい》を踏みつけ、由緒正しき薩摩という名を消し、島でもないのに鹿児島という下衆《げす》な地名を定着させてしまったのです」

春日は湯呑みを両手に持って中身を覗くと、一口すすってから茶托《ちゃたく》に戻した。剛直そうな人である。

藩の力

江戸、東北と転戦した西軍は官軍とは名ばかりで、その正体は薩長土肥《さっちょうどひ》の寄せ集め、いわば軍閥である。

軍閥ならば新政府誕生の暁《あかつき》には、恩賞を期待するのは当然だ。

新政府の理想を熟考する侍など一人もいないから、求めるのは、富と名声だ。カネの分捕り合い、ポジション争いが起こる。

内部対立の激化。

人を叩き斬ってきた田舎侍が、江戸、京都に滞在し不満を募《つの》らせるなど考えるだに恐ろしい。

岩倉、大久保、木戸《きど》の不安は極限に達していた。思案投げ首の末、治安がめちゃくちゃになる前に、いったんそれぞれの国許にお引き取りを願った。

すると今度は、地元で気勢を上げはじめたのである。

たんなるシュプレヒコールではない。戦支度《いくさじたく》も勇ましく、舐《な》めた処遇なら今にも襷掛《たすきが》けで突っ込んできそうな気配だ。

政府軍など存在しないから、京都も江戸も無防備状態である。

岩倉具視、大久保利通のビッグ2が動かせるのは、わずかに残った手勢、京都警護の長州の一部隊に過ぎず、翌年にはそれも引き上げてしまったので、最後は情けないことに南朝の守護部隊、十津川郷士《とつがわごうし》の四〇〇名だけになっていた。

武器弾薬は遠方の薩摩、長州、土佐にあふれている。いや伊達《だて》だって、加賀《かが》だってしこたま温存している。

政府の弱体を見透かしている各藩には、恩賞でこじれれば今にも打って出る気配を感じる。

前途多難どころではない。動乱第二章の幕開けか。旧幕府をこのまま埋葬できるのか、それとも元の木阿弥《もくあみ》、ゾンビのように息を吹き返して元に戻ってしまうのか？

とりわけ力自慢の薩摩はまずい。戦争には慣れているから、内乱になれば、天下取りの一番乗りだ。

ビッグ2、そして南朝天皇を産み出した長州勢は、失権の悪夢にうなされる。

地方の力を削ぐ。いや削ぐなど甘い。きれいさっぱりなくす以外に、枕を高くして眠る方法はない。

地方の力は藩の力だ。藩さえなくなれば、武士は拠り所《よりどころ》を失う。拠り所を失えば、侍はただの腹を空かした浮浪者だ。路頭に迷った浮浪武者をごっそりと掻き集め、政府が安く叩いて雇えばいい。

地方から奪い、中央に与える。名案である。

藩をなくす良策は？

簡単だ。藩が持っている領民と領地を取り上げるだけでいい。人と土地を天皇に返還させてしまえば、藩などたちまち空っぽになる。

版籍奉還《はんせきほうかん》だが、奉還がミソだ。移行ではなく、あくまでも返還だ。

つまり、新政府の理屈は、もともと人と土地は天皇のものである。なにせ現人神《あらひとがみ》なのだからなんでもできる。このデタラメさえごり押しできれば、政権の奉還と同時に人も土地も一緒にお返しいただいたっておかしくない、文句は言えまい。

あとの厄介は、武士にこびりついている忠義心だけだ。

しかしこれも難しくない。よく分析してみると武士の忠義など、上辺の体面としがらみだけだ。その体面としがらみを取り除いてやればいい。

ようするに殿だ。殿さえいなければ武士はばらけて、フリーターとなる。

そうは言っても、権力の世界にいた殿にいきなり平民になれと命じても無理だ。それこそ面子がある。心理的抵抗が大きすぎて、あまりうまくいかない。

ならばいったんイメージをまず変える。

藩を県と改める。殿という名称は古い、変える必要がある。新しいのは知藩事《ちはんじ》か知事で、これぞ新時代にふさわしい知的な呼び方だとか何とか丸め込んで、なし崩し的に薄味にしてゆく。

　藩を廃し、県を置く。廃藩置県。

たかが名称、されど名称。人間の心理とは不思議なもので、字面《じづら》一つでまったく感覚が異なる。イメージが崩れ、それまであったけじめの持っていきどころがない。

　武士にとって、殿は命を懸けて守るものだが、知事だと言われると、知ってる事？　はて、そりゃ何だとなる。同一人物なのに今までお仕え申していた方とは違う、どこか余所《よそ》の人のようで忠も義も薄れるのである。

　おまけに自分たちは今日から武士ではなく、兵だという。

　武士なら肩で風を切れるが、兵士だと何か違う。

　しかも、自分の隣に整列しているのが、この間までは畚《もつこ》や鍬《すき》を担ぎ、自分たちを見たら逃げるように隠れていた百姓ときている。年がら年中、やれ雨が降っただの日照りだの、お天道様と土塊《つちくれ》のことしか頭になかった下層の者と同列に扱われ、見掛け上もまったく変わりなく、しかも百姓言葉でタメ口なのだ。

　世の中が、がらがらと音を立ててへんてこになっているところにもってきて、己《おのれ》が仕えるのは殿ではなく、中央政府の大将だと言われれば、もう何が何だか分からない。

　刀を持てば侍だが、銃を渡されれば平民になった気もする。

長年、忠義を尽くしてきた相手が、突然、天皇だ、県だ、知事だ、中央政府だと、ころころ変われば定まるものも定まらず、右に行ったり左に行ったり、存在不安とはこのことだが、侍は融通がきかない。岩倉や大久保ごとき藩主でもなかった馬の骨が、いくら命令を下そうが釈然《しゃくぜん》とせず、多くの武士は釈然としない面持ちで腰を上げなかった。

だいたい天皇など天下太平徳川三〇〇年、見たこともなければ聞いたこともなく、京都のどこかに生息する蹴鞠《けまり》と歌会の遊び人だ。まして命令されたことは一度もない。

天皇の出番はただ一つ、将軍を承認する、いわば儀式の神主要員だった。

〈天皇は利用するものにして、尊ばず〉

長年、武士にしみ込んだルールである。

戊辰戦争時、天皇の密勅が下り、錦の御旗を立てて戦ったというのは後付けのプロパガンダだ。

錦の御旗など、もとから権威があったわけではない。薩長土肥の下級武士が軍を握り、官軍と称して天皇崇拝を強制させるツールで、これがことの外うまくいったので、大いに活用しただけの話である。

日本人は科学的、合理的に物事を考える頭脳を持っているのだが、一方不思議なことに非科学的な神や仏も受け入れている。

だからといって神や仏を崇拝しているわけでもなく、非思考的に神や仏を認めているという非合理的国民である。これも暗記教育の賜《たまもの》だが、望月は歴史を追っているうちにそれを確信した。

「天皇は神の化身である」

明治政府のプロパガンダをごくりと鵜呑《うの》みにしてしまって、見事に一雲上神に上らせてしまったのである。

官軍の意味を知っていた者などおるまい。だいいち戊辰戦争時、天皇は不在だった。不思議なことにどこにも登場せず、言葉も発せず、書簡も出さず……むろんすり替えに忙しくて、それどころではなかったのだが、お飾りにすらならなかった。侍たちは、自分の直接の上司が、ここはお前たちの死に場所だ、死ね！　と言うからがむしゃらに突っ込んだだけである。

上が行けというから行く。それだけだ。

やたらに官軍、官軍、尊皇、尊皇と言うものだから、遅ればせながらその威力を知った東軍（幕府）、すなわち奥羽越列藩側も、それにあやかろうとした。ただちに真似をして輪王寺宮《りんのうじのみや》を「東武《とうぶ》天皇」に仕立て、結集した。

しかし失敗した。奥羽は武士の国だ。尊皇など根付くわけはなく、はなはだ盛り上がりに欠けてしまったのだったのだが、しかし一応、こうなれば西軍も東軍もれっきとした官軍で、勝てば官軍とはよく言ったものである。

西郷の新政府デビュー

東京も京都も侍はいなくなっていた。

ビッグ2は、互いに眼を合わせる。

「恩賞突き上げが恐くて一度は国元に帰したものの、今度は都市が無防備すぎる。中央軍をどうするのか？　できる男は、西郷隆盛以外にない」

正しい選択だ。

明治四年（一八七一）の初頭、懇願された西郷は温泉湯治を手仕舞いし、ゆるりと腰を上げる。

覚悟を決めたら不動、鋼《はがね》の男だ。

軍船に乗り込むと、寒風を突いて土佐に向かう。高知藩知事山内豊範《やまうちとよのり》、大参事板垣退助、長州の山縣有朋と談じて、アウト・ラインを決定した。

薩摩藩、長州藩、土佐藩から一万の兵を掻き集めるのに、たいした時間はかからなかった。

これが「御親兵《ごしんぺい》」だ。駐屯地は東京市ケ谷《いちがや》、旧尾張藩邸である。翌年、「近衛」と名を変えるのだが、最初の日本国軍と言っていい。

西郷の新政府デビュー、すなわち、初の日本軍は西郷が造ったのである。

「御親兵、廃藩置県」

春日がしゃべった。

「随分と余計なことをしてくれたものです。何のために、我が藩が鍛えた武士を、下級武士の政府にくれてやらにゃいかんのです？　その連中が政府軍と名を変え、やがて神聖なるこの地に牙を剝《む》き、襲いかかるなど夢にも思わなかったのか、後世の笑い種《ぐさ》です。あの男は風雲児とか何とか持ち上げられていますが、この地を滅亡に追い込んだ張本人、誰が何と言おうと極悪人です」

望月はかすかな頷きで応じた。

今は取材だ。意見交換の場ではない。耳を傾けるだけである。

「もっとも莫迦げたものは、西郷が明治七年に造った兵隊学校に尽きる。病膏肓《やまいこうこう》、相当な重症です」

有名な鹿児島の「私学校」だ。

「御一新のごたつきで無職浪人が街に溢《あふ》れ、治安上危険なために造ったと称していますが、本心は、中央軍に対抗する私兵の養成です」

断言した。

「先生、いったい薩摩武士が幾人集まったか、ご存じでしょう。四万人は下らない。死をいとわない二本差しがそれだけ集まれば、いやが上にも勢いが増す。勢いが増せば我が物顔、就職の斡旋《あっせん》などわけのない話で、県の役所自体、私学校の出先機関と化すありさまでした」

私学校のせいで薩摩に、熱い何かが滾《たぎ》りはじめたのだと語った。

「まるで独立国のようだったというのは本当ですか」

「納税を拒否した時から、完全に国家です」

「……」

「それもこれも、元はといえば西郷の私学校のせいでありましてな。岩倉、大久保が黙って見過ごすはずもない」

「ええ」

「もはや西郷は一国の主。あの男さえいなければ薩摩はおとなしくなる、と踏んだ政府は西郷暗殺部隊を送った」

「あちこちの本に出ていますが……」

「お疑いですか？」

望月が眉間にシワを寄せた。

「いえ、そういうわけではありません」

「本当のことです。政府が暗殺部隊を送ったという噂が広がった時、ここら一帯は複雑だった」

春日はいったん言葉を区切り、庭に視線を延ばした。

一つ、二つ、三つ……静かな呼吸に着物の胸がかすかに動いている。視線を戻した。それから長年、つのらせた想いを吐き出すように語った。

「いっそのこと、西郷を殺して欲しいと願う家は多かった」

過激な発言である。いく分かすれた声が寂寥《せきりょう》を含んでおり、その過激さを消している。

「仮に東京戦争になれば、火の粉どころではすみますまい。加治木町一帯は戦火に呑まれます。いいですか先生」

春日の眼が、望月を捉えた。

「西郷は生まれも育ちも、下っ端です。貧を善と叫び、富を悪と呼ばわる、財産も命もない身分。しかし我々には」

と言って、庭を見た。

「代々受け継いだものがあります。この庭も蔵も……幼い頃から毎日、毎日変わらぬ同じ山と川を見てきました。我々を育《はぐく》んだかけがえのないこの遺産を子にも継がせねば、御先祖様に申し開きが立たない。それが家督、家禄《かろく》を継いできた者の務め、大義のない戦争など軽々に引き起こしてはならんのです」

話は重苦しい雰囲気になってきたが、いつの間にか空は真っ青に澄み渡っていた。

「先生」

春日が話しかけた。

「東京に歯向かって、西郷が兵を掻き集めて進軍した理由は何だと思います？　自分に刺客を送った天皇政府への問責ですよ」

「はい」

「天皇政府への問責。いやはや、己を薩摩の天皇と気取っているのか、驕慢《きょうまん》の極みです。西郷というたった一人の下級侍を護《まも》るために、なぜ一万五〇〇〇の大軍を引き連れて上京せなならんのです？　一度動かせば罠だと気付いても、途中で尻込みはできない。薩摩は西郷の玩具《おもちゃ》となったとです」

春日はのっそりと立ち上がって縁側に出た。縁側に突っ立ったまま、庭をゆっくり見渡し、声を大にして訴えた。

「代々薩摩に身を捧げてきたここら辺一帯の家々は、大義のない負け戦で、精も根も尽き果てました。いったいあの男は、何をしたかったのか……」

腹の底から静かな怒りが湧き上がっているのが分かった。それでも声の調子は乱れない。

「追い詰められて無様に自刃するくらいなら、戦の前に、四の五の言わずに覚悟を決めて腹を切るべきではないですか。敬天愛人《けいてんあいじん》が聞いてあきれる。薩摩愛が本当なら、自分一人で尻を拭《ぬぐ》うべきでしょう。そうすれば多くの命が救われ、薩摩は朝敵の汚名を着せられずに済んだのです」

賊と呼ばれ、この土地に対するいかなる理不尽な蔑《さげす》みにも耐え、自分たちは言うに尽くせぬ塗炭《とたん》の苦しみを味わってきたのだと言った。

遺恨は長く、年代物だ。

今さら言っても詮《せん》ないことだが、恨み話は一晩でも、二晩でも、山のようにあるだろう。しかし春日の話はここで終わった。

望月も、西南戦争には一家言《いっかげん》は持っている。だが今、論じる場面ではない。望月は、ぼんやりと西南戦争を想像し、別の角度で質問した。

「資金は、どこから？」

まだ後ろ向きに立っている春日に話しかけた。

「いやあ、失礼いたしました」

我に返ったように振り向き、元の座に戻って答えた。

「多くは税収を当てたわけですが、グラバーですよ」

「えっ」

望月は、飛び上がるほど驚いた。実際、背筋がぴんと伸びたほどだ。

まさかここであの男の名が出るとは思ってもみない、予想だにしなかったダーク・ホースの登場である。

トーマス・グラバー。

長崎に住み着き、薩摩、長州、土佐に深く食い込み、軍船、武器弾薬を売りまくった黒幕だ。

三菱《みつびし》の岩崎弥太郎《いわさきやたろう》の指南役で、坂本龍馬《さかもとりようま》の亀山社中《かめやましやちゆう》とも昵懇《じつこん》である。薩長土肥に腐るほど武器を売り、明治になってもグラバーは伊藤博文、五代友厚《ごだいともあつ》について回り、しぶとく造幣局創設、鉄道建設と立て続けに暗躍している。

政府にぴたりと寄り添うグラバー、その男が、なぜ敵のスポンサーになったのか？　驚かない方がおかしい。

「グラバーがカネを……」

と呟《つぶや》いたが、気持ちに情景が追い付いたようにしっくりした。

グラバーは商売人だ。あっちだろうと、こっちだろうとあらゆる懐《ふところ》を探るのは本能だ。商人にとって、両天秤の厚顔無恥こそ、最大の強み。考えてみれば岩崎だって、住友《すみとも》だって、鴻池《こうのいけ》だって、節操の二文字はない。戦争、動乱が金を生む。そして米国に傾

トーマス・グラバー（右）と岩崎弥之助（弥太郎の弟で、三菱二代目社長）。幕末から明治、「黒幕」として暗躍したグラバーと西郷との接点とは？

き、英国人の自分を袖《そで》にしはじめた憎き明治政府に見切りをつけ、夢よもう一度、西郷に賭けたのである。

「何か、証拠の書簡が残っているのですか」

「天満宮《てんまんぐう》にお行きなさい」

「太宰府《だざいふ》の？」

「そう、太宰府天満宮。グラバーは、とんでもない死の商人ですよ」

春日は、ようやく血の通った笑いを見せた。

目覚ましアラームはいらない。相も変わらず、朝の五時が目覚めを誘った。

昨夜は、井上のお招《よ》ばれにあずかったのだが、芋焼酎は六時間の睡眠ですっかり抜けていた。

ヨガをし、しばしの間、瞑想で心を宇宙に置く。

湯を張った。

バスタブの縁《へり》を枕代わりにし、ゆったりと湯の中で身体を伸ばす。蒸しタオルを顔に広げると、幕末が望月を呑み込んでゆく。

攘夷の仮面

　封建社会は虫の息だ。

　お先真っ暗、飯もろくにあたらず、世の中どう転んでも武士の世も末なのだが、招いたわけでもないのにおっかない黒船がやってきて開国を迫った。

　ひもじさと夷人《いじん》の居丈高《いたけだか》な態度が重なって、無性に腹が立つ。ずるずると妥協を続ける幕府。天下の信頼が右へ左へ大きく揺らぎ、それを口実に反幕勢力は「攘夷」を掲げる。

　ついに水戸藩士が決起。

　安政《あんせい》七年（一八六〇）三月三日（陽暦二四日）、「桜田門外の変」が勃発。開国派の巨魁、井伊直弼が血祭りに上げられ、続いて二年後に起こったのが「坂下門外の変」である。井伊直弼の後を継いだ磐城平藩藩主、安藤信正も同じ水戸藩士に襲撃され失脚した。

　面白いのは、両テロの下手人だ。

　主犯は水戸学の熱病にうなされた水戸藩士に違いないのだが、「桜田門外の変」は薩摩藩が、「坂下門外の変」は長州藩がと、両藩がそれぞれの「変」にかかわっていて、後の薩長連合、戊辰戦争の兆《きざ》しが見えることだ。

　スローガンは『尊皇攘夷』。

「尊皇」だけでは弱い。なにせ〈天皇は利用する者にして、尊ばず〉尊ばないどころか、質実剛健をもって鑑《かがみ》とする侍にしてみれば、武芸を嗜《たしな》まない女子だ。働きもせず、幕府からのお手当てで食べているヒモにすぎない。そんな「皇」を尊敬しろと言われても、ぜんぜん実感がわかず、したがって、憎むべき手ごたえのある実像が必要となってくる。外国人だ。

渦巻く不満、そこにご面相の違う憎《に》っくき夷人をぽんと放り込んでやれば、腹を空《す》かした野犬は迷わず彼らを八つ裂きにする。

外国人はぶっ殺せ!

人間は多様なものを抱えているが、民族意識は必ずある。きれいごとを取り除けば、いかんともしがたい人間の性《さが》、濃いか薄いかは別として人種差別は万人に居座っているものだ。

こいつは麻薬と一緒だ。一度《ひとたび》刺激すればとたんに劣等感が裏返って高揚し、日頃の憂《う》さがぶっ飛ぶという仕掛けだ。

「ジョーイ!」

「尊皇」は「ジョーイ!」と結びついて一〇〇倍の威力を持つ。

桁違いの腐敗、考えられないほどの言論弾圧、一食ありつければ御《おん》の字の飢餓状態。心も身体もがんじがらめで、行き場のない怒りは、軽薄な民族差別意識と分かち難く結びついて、「攘夷」は巨大なパワーを持ちはじめる。

桜田門外の変を描いた錦絵。二年後には「坂下門外の変」も起きる。「尊皇」と「攘夷」が結びつき、幕末日本にテロの嵐が吹き荒れた。

「外国人は下等で穢《けが》れている！」

「攘夷」は、不満分子を引き寄せる磁石触媒だ。煽動者にとってはお値打ちもののお題目だ。

猫も杓子も、流行の「ジョーイ！　ジョーイ！」と叫び回っていると、いつの間にか頭に「尊皇」がくっつく。漢字は多い方が重みを増し、今度は「ソンノージョーイ！」がカッコいい。浪人、難民、不満の輩が、気持ちよく取り込まれ、京へ京へと集まりはじめる。

「玉《ぎょく》」をさらう、「玉」を守る。尊皇攘夷は烏合《うごう》の衆だ。

一枚岩ではないが、しかし、その黒幕ははっきりしている。

「南朝勢力」だ。

彼らはもはや外国勢力と手を結びつつあ

り、攘夷でもないのにいつまでも攘夷を装い、「尊皇攘夷」という仮面を着け、何も知らない下々《しもじも》を取り込む作戦に出た。

戦略的勾引《かどわ》かし。

すなわち入口が「攘夷」で、途中で頭に「尊皇」がくっ付いて、何だ、世の流行は「ジョーイ」じゃなくって「尊皇ジョーイ」なんだ、と騒ぎ回っているうちに、もっと奥があり、いつの間にか「ジョーイ」が消え、「尊南朝」に誘導されてゆく。

ここで一歩立ち止まり、疑問を持つような頭のいい武士は見所ありとして仲間に引き入れられ、幹部候補生になる。

昔の共産党の手だ。歌や踊り、食い物で釣り、平等と反戦を説き、青年会や婦人会に引き入れ、共産党思想を吹き込んでゆく。その中から素質のある者を幹部に育ててゆくのである。

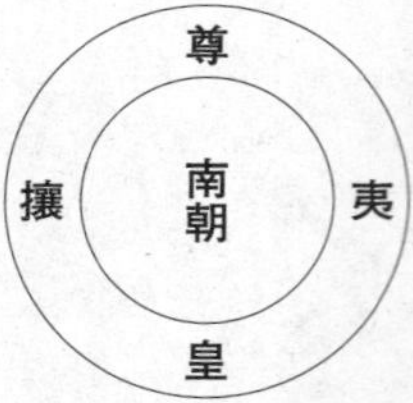

さて、「尊南朝」とは何か？

歴史では習わなかったし、「隠れ南朝」など聞いたこともない。

妄想ではないのか。はたして現実としてそんなものがあるのかどうか？

信じられなくとも、存在するものはたくさんある。疑う人は、福島原発事故を想起するがよい。

東電、メディア、学者があれこれ仕組んだ結果、原子力事故ではなく、たんなる産業事故にしてしまおうと目論んだのは記憶に新しい。メルトダウンという言葉を封印し「水蒸気」が上ったと表現するなど、あらゆる手をもちいて誘導した。カメラ、ＤＶＤ、ツイッターという庶民のツールがこれだけ発達している現代においても、一定期間騙しおおせたのである。これが二〇年前なら完璧だったはずだ。

今もって放射能も上空大気に散じているが、目に見えない。「隠れ南朝」も厳然たる事実である。

教科書どおりに言えば、南北朝時代が終わって南朝は消滅している。そのはずだった。

しかし、実際は違う。しぶとく生き続け、ついに幕末、ゾンビのごとくむっくりと息を吹き返したのである。

『八月一八日の政変』。

場所は見ることも聞くこともできない朝廷内。陽の当たらない奥の院で、力の限りを振り絞った主導権争いが、ついに行きつくところまで行き、大噴火を起こした。

南朝勢、最後の闘いのはじまりである。

公家の死闘

ちょうど西郷隆盛が、沖永良部島のガジュマルの木の下でのんびりと昼寝を決め込んでいる時、朝廷内でめきめきと力を付けてきた一派があった。三条実美《さんじょうさねとみ》ら急進派だ。

三条は幕府に怨《うら》みがあった。父が安政の大獄で処分されていたのだ。父親は一橋派の公家で、母の方は第一〇代土佐藩主、山内豊策《とよかず》の娘である。土佐藩はいわずと知れた外様大名、父も母も疎《うと》んじられており、この両親の下拵《したごしら》えがあれば、誰だって反幕になる。

幕府と孝明天皇はぎくしゃくしつつ、時代の深い断層になだれ落ちていた。最後の切り札、公武合体をもって乗り切る作戦に出た。だが三条が台頭し、やかましく、朝議を仕切りはじめる。バックは、長州藩、久坂玄瑞《くさかげんずい》とがっちり手を組み、武力と資金を背景にのしてきたのである。

久坂は長州尊皇攘夷派の先駆けで、吉田松陰の愛弟子だ。南朝思想を潔《いさぎよ》く受け継いでいる。

もう一人心強い味方がいた。

真木和泉《まきいずみ》。真木は、死罪になってもかまわないという知れ切った南朝の闘士。こちらの方は福岡県久留米《くるめ》、水天宮の神職という異色の出だ。なぜ水戸学を学び、楠木正成にのめり込んだのか詳細は不明だが、その傾倒ぶりといったら、命日での楠公祭《なんこうさい》を欠かさないなど、今楠公と呼ばれるほどで、骨の髄まで沁み込んでいる。

真木は当初、大久保利通と動いていた。薩摩尊皇攘夷過激派と一緒に寺田屋事件を共謀したあと、急に久光と接近して、腹の見えなくなった大久保を見切って、長州藩にワラジを脱ぐ。

久坂も真木も狂信的な「隠れ南朝」だ。

その強力な両人が三条とつながっているのだが、真木はもう一人の男とも重要なパイプを持っている。

驚くなかれ西郷隆盛だ。

流刑地、沖永良部島にいた西郷と、書簡を交わしているのである。

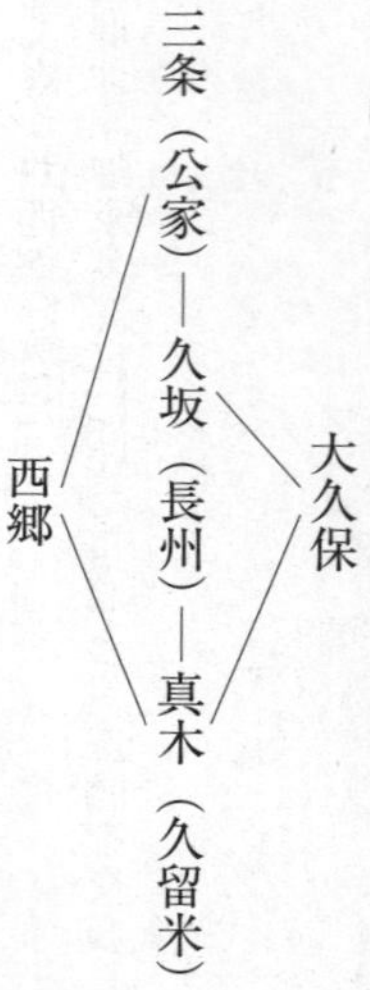

孝明天皇の血は北朝だ。

北朝の「御所」が、いつの間にか三条をリーダーとする「隠れ南朝」に、深く囲まれていたのである。

一八六三年四月九日、あっと驚く事件が起きる。

この大事件を学校ではちゃんと教えないのだが、重要なターニングポイントだ。何者かが足利尊氏、義詮《よしあきら》、義満《よしみつ》、三名の「木像の首」と「位牌」を、京都賀茂川《かもがわ》の河原に晒したのである。

いわゆる『足利三代木像梟首《きょうしゅ》事件』だ。

人形の首などなんの値打ちがあろうか。しかし、晒し首となると不気味である。

問題は、首の主の足利尊氏だ。

足利尊氏は北朝の大看板。楠木正成、新田義貞を殺し、後醍醐天皇を比叡山《ひえいざん》に追い詰め、三種の神器を奪い返して、北朝の光明天皇に渡した張本人である。

すなわち南朝のシンボルが楠木正成なら、北朝のシンボルは足利尊氏なのだ。

犯人は、確信犯で、その切っ先はダイレクトに時の北朝、孝明天皇に突き付けられている。天をも恐れぬメッセージだ。

現代で言うなら、皇居前広場にある楠木正成の像の首をちょん切って、皇居前広場に晒したようなものだ。

ここまでやれば、暗殺予告だ。

孝明天皇は震え上がった。

なぜなら公家の岩倉具視だ。

前年の夏前から、この男による孝明天皇毒殺の計画の噂が朝廷内に広まっていたのである。これを知った、孝明の子を産んだ中山慶子《なかやまよしこ》の弟、忠光《ただみつ》は一〇月二〇日、翌年の三月六日と二度にわたって岩倉殺害を土佐藩、武市半平太《たけちはんぺいた》（一八二九〜一八六五）に主張している。

そうこうしているうちに起こったのが先の「足利三代梟首事件」だ。

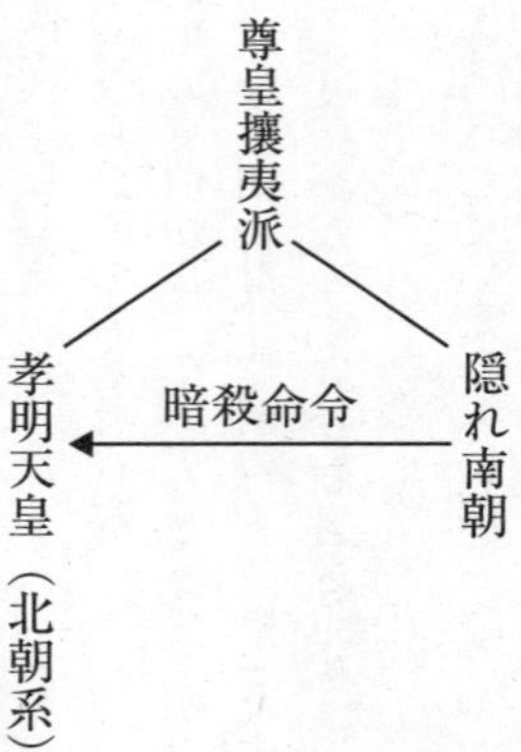

身の危険が、波のようにひしひしと寄せてくる。孝明は思いつめ、奥に籠もった。「尊皇攘夷」など名ばかりで、その実、孝明暗殺をもくろむ「隠れ南朝」が「御所」の中に居座っている。

同じ根城に巣つくる異物。だれが尊南朝なのか見定めるのは難しい。仮面をかぶり、ふりをした危険な一派が御所の中にいる。

――誰なのじゃ――

孝明は一人呟き、息を呑んだ。

木像梟首事件で、不気味に静まり返っているばかりだが、この事件は、維新南朝革命への露払い、大事件となった。

疑うならば顚末《てんまつ》を追ってみよ。そこに見えるのは、案の定の結末だ。

下手人の一人、三輪田元綱《みわだもとつな》は、幕吏に捕まって兵庫の牢に捕らわれていたが、一八六七年、戊辰戦争が勃発すると即刻無罪放免となり、なんと外務権大丞《がいむごんのたいじょう》という高級官僚級に抜擢《ばってき》。

もう一人の下手人はどうか？

名は師岡正胤《もろおかまさたね》。彼もまた監察司知事《かんさつしちじ》、弾正台巡察《だんじようだいじゆんさつ》、宮内省文学御用掛《ごようがかり》など警察、宮内省畑で一生を優雅に渡り歩いている。

二人は、獅子奮迅の動きをしたわけではない。

やったことは盗みだ。それも「木像の首」と「位牌」の二つ。盗んだ二品を、河原にぽんと置いただけで、このご褒美である。

しかし明治維新が、南朝革命であったことを考えれば功績は偉大だ。

北朝天皇孝明に動揺を与え、隠れ南朝を鼓舞し、革命の先駆けとして強烈な一発である。

「尊皇」と言いつつ天皇を抹殺する。

「攘夷」と言いながら、外国と手を結ぶ。

スローガンを鵜吞みにしてはならない。

日中戦争での中国共産党がそうだ。無数に跋扈《ばっこ》する軍閥を「反日」「抗日」でまとめ上げ、最後はその軍閥を処分して共産革命を成就させたが、同じことだ。

束ねるには、ふりをする。ふりをして協力させる。お題目は「攘夷」だろうが、「抗日」だろうが、何でもいい。

踊らされる大衆が莫迦だと言うなら、ヒトラーに騙されたドイツ民族や、鬼畜米英などちょろいものだと煽られ、死体の山を築いた大和民族もそのレベルで、人間とは酒を呑まなくとも言葉だけでベロベロに酔ってしまうものである。

攘夷など能書だけだから、まじめなものではない。

「ジョーイ」だったくせに、そのマニフェストを一年もしないうちにあっさりと消し、英米と手を結んで突っ走り、あげくの果ては、言うにことかいて今度は一八〇度の大転回、文明開化である。文明の開化とは、国を開いて上から下まで外国を真似ることだ。

外国化が文明開化で、「ジョーイ」が聞いて呆れる。

だが、孝明天皇の外国人嫌いは病的だった。

奥の奥に引っ込んで育ったボンボンだから、世界が見えない。頑固一徹でぜんぜんぶれない。

そこを南朝勢に付け込まれるのだが、一八六三年（文久三）四月には律義に下鴨《しもがも》、上賀《かみが》茂《も》神社へ攘夷祈願のお参り行幸《ぎょうこう》を終え、そのあとの祈願場所を石清水八幡宮《いわしみずはちまんぐう》とした。

実行はほぼ一カ月後、将軍家茂に対して賑々《にぎにぎ》しき随伴を命じている。

「公武合体だろ、尊皇ジョーイだろ、一緒に行こうよ」

しかし、そのとき腰を抜かすような報告がもたらされる。

天皇の略奪と将軍家茂の暗殺。

『明治天皇紀』第一、三三〇頁に詳しく書かれているとおり、この謀《はかりごと》も事実である。

不気味なのは、後にそれが現実になったことだ。三年後に家茂は二〇歳で急死し、孝明は三五歳で突然死を迎えている。これらの情況から二人の死は暗殺だと解釈しても不思議ではないどころではなく、むしろ自然であろう。

天皇をやっちまえ、という行幸襲撃計画の首謀者はやはりこの人、岩倉具視が臭い。この男は武市半平太、中山忠光などの脅しで表向き頭を丸めて坊主になって蟄居していたから、そんなことは不可能だという学者がいるが、蟄居など甘いものだった。いくらでも抜けられ、蟄居場所の家を脱出する絵すら残っている。そしてもう一人、主役に躍り出ていた議奏《ぎそう》で権大納言《ごんだいなごん》の三条実美だ。

三条が長州藩と謀《はか》っている。

孝明を吉野に連れ去り、言うことを聞かなければ暗殺する。あるいは、そのまま長州へ連れ去るという話が孝明の耳に届いていた。襲撃場所は、石清水八幡宮行幸途上、とこれほどまでに具体的に語られていたのである。

騒ぎが広がる中、将軍後見職一橋慶喜から行幸の中止願いが届く。

五月一六日、おっかなくなった孝明は行幸延期の命を下す。本心は中止だ。ところが中止にはせず、一週間後の延期に留った。

理由は議奏三条実美、関白鷹司輔熙《かんぱくたかつかさすけひろ》ら、「隠れ南朝」の圧力である。

当日の朝、孝明は病気を盾にねばった。甘やかされて育った三二歳、目一杯の抵抗である。

敵もさるもの、手をこまねいている玉ではない。三条は、ここは自分の出番だとばかりに袴の膝頭をつまんで小走りに奥へ向かった。

「顔色、声色は共に病とは思えませぬ。かりに病の気があっても、行幸は天皇としての大切な務め、みなが準備を整えて待っておじゃりまする」

裏があるのにおくびにも出さず、無理無体を迫った。

「朕《ちん》は食欲もなく、身体がだるい」

「これはこれは、ミカドの中されるお言葉とは思えませぬ。国は大病を患《わずら》っております。御気分がすぐれないからと申して、行幸をおやめになれば、この国は虫螻《むしけら》のような夷国に穢され、滅びましょう。何としても、何としても、何としても」

小さな眼《まなこ》でにじり寄る三条。孝明は抗しきれなかった。

護衛を増やし、予定どおり行幸に出発するが、頼りの将軍家茂は状況を危《あや》ぶんで供をせず、代役を一橋慶喜が務めた。

ところが慶喜のへなちょこ逃亡癖は、このころからで、途中で急病と称して尻込みし、いじましく宿舎に閉じこもってしまったのである。武士の風上にも置けない所業であるが、臆病すぎて狂言回しにも使えぬお人だ。

緊迫度は増している。しかし、眼をらんらんと光らせていた待ち伏せ方も延期だ、経路変更だと二度、三度と出鼻をくじかれ、やむなく中止。双方が混乱する中、無事祈願行幸は終わった。

一〇日後の六月六日、孝明は自ら筆を持って中川宮尊融《なかがわのみやそんゆう》（後の久邇宮朝彦王《くにのみやあさひこ》）に手紙を書く。

この度の石清水行幸は自らの意志ではなく、三条らの強圧で実施したものであること、今後は薩摩藩の島津久光らに頼る他は、手立てがないことを告白している（『明治天皇紀』第一、三三二頁）。

もう一度念を押す。三条らは、天皇暗殺まで目論んでいたのである。

その三条が明治になって、参議という大権力者におさまっているのだが、ではなぜ『明治天皇紀』の都合の悪い箇所は、「なかったこと」として消すように命じていたのにこの記述は残ったのか？

消せたのに、消さなかった理由はなにか？

そう、自分はいかに「隠れ南朝」をリードしていたのかという、高ポイントを稼ぐ手柄話になると判断して残し、この功績により新政府の偉大なるポジションをおねだりした。結果、この野心が「危《あや》うい証拠」の温存を選んでしまったというわけである。しかし、ぼんくらぞろいの学者は、この天皇告白証言を今もって問題にしていない。

拉致《らち》し、意に添わなければ暗殺する。

では、いったいぜんたい孝明を暗殺した後に、誰を天皇に立てるつもりだったのか？

孝明の子か？

親を殺して、子を立てるなど現実としてうまくいかない。

ではどうするか？

一つしかない。別の天皇を立てる。

推察するまでもなく、執拗《しつよう》に孝明を狙っているのは長州だ。となれば、長州には秘策があったと考えなければ辻褄が合わない。孝明に代わる「天皇」それも「南朝天皇」がいたのである。

この算段がなければ、天皇暗殺などという大それた計画は、ありえない。

行幸襲撃に失敗した「隠れ南朝」は、次の一手を考案する。

孝明一人だけなら、何ほどでもない。問題は孝明を擁立《ようりつ》したまま公武合体で切ろうとしている幕府だ。

旗本八万騎の幕府をねじ伏せなければならないのだが、長州だけでは無理だ。で、考えたのが外国勢力である。

幕府に、外国勢力をぶつけることを思い付く。

幸い孝明は稀代の外国人嫌い、それを逆手にとる。攘夷戦を持ちかければ、たちまち顔がぱっと明るくなって「おお、朕はそなたを疑っていた。うれしく思う」と、孝明は必ず乗ってくる。

天皇をけしかけ、幕府に攘夷戦を命じさせればいい。

幕府 VS 外国勢力

妙案である。

「恐れながら」

天皇の前に進み出た三条が、神妙な顔で訴える。

「何としても攘夷を決断しなければ、京都は夷人に乗っ取られ、寺、神社はバテレンの天《てん》主堂《しゅどう》と成り果ててしまうでおじゃる。ここは、性根を据えてかからねばなりませぬぞ」

裏がありそうだと疑ってはいるものの、天皇はつい口車に乗せられ、御所を訪問した将軍家茂に攘夷戦を迫った。

「ジョーイを決行せよ！」

ぎくりとする家茂。

〈天皇は利用するものにして、尊ばず〉

しかし、今や大好きな自分の正妻和宮《かずのみや》は天皇の妹だ。それに尊皇攘夷の宣伝が行き届いていて、「ジョーイ」を無視すれば、不逞《ふてい》の輩《やから》が暴れはじめる。

人の気も知らないで、傍迷惑《はためいわく》も顧《かえり》みず「ジョーイ、ジョーイ」と莫迦の一つ覚えのように口にする孝明に、家茂がしぶしぶ承諾する。

決行日は六月二五日。

首尾は上々、自信作である。ほくそ笑む三条実美。

だが実際の結果は、どうだったのか？

攘夷決行に応じて、アメリカ商船を散発的に砲撃したのは長州ただ一藩のみ。他藩は、今どき外国船攻撃など自殺行為で、非常識もはなはだしい、と沈黙した。

大失敗である。

尊皇も忠義もどこ吹く風、武士道などいい加減なもので、将軍の命令にもぴくりともしなかった。長州の一人踊りで、思惑は見事に外れる。外れるどころか、欧米艦隊の報復は幕府ではなく、「隠れ南朝」が隠れ住む長州へ向かった。

七月一六日、長州沿岸を艦隊が包囲、いっせいに砲門が開く。

肝心の徳川家茂も、一抜けたとばかりにさっさと京を離れて、江戸に帰ってしまったからみっともない。

孝明もショックだが、三条も頭をかかえた。幕府と外国勢力を闘わせ、双方の勢力を削ぎ、漁夫の利を得る。そこで長州と隠れ南朝と一緒に天下を乗っ取ろうという虫のいい絵図を描いていたのだが、すっかり当てが外れる。

「困ったでおじゃる。はて、まろはどうしたものか……」

おろおろするが、弱り目に祟《たた》り目とはこのことで、裸同然になっている自分に、はたと気付く。この先どうしたものかと思っているところにもってきて、恐ろしくなった孝明天皇が、会津《あいづ》と薩摩に救いを求め、三条一派と長州の隠れ南朝を京都から叩き出したのだ。

『八月一八日の政変』である。

望月は、我に返った。

ケータイが鳴っていた。

慌てて、バスタブから飛び出した。

「おはようございます」

ユカだった。

「先生、大発見！」

「……」

「先生からいただいたコピーに、若き東郷平八郎がいます」

「えっ、あの一三人撮りの古写真に？」

「そうです」

「本当ですか？」

素っ裸で真面目に答えている自分が妙だ。

「間違いありません」

「ユカさん、それは……」

「先生、ごめんなさい。私もう学校に出かける時間で、またあとで連絡します」

「ああ……はい」

バスタオルで身体を拭《ふ》きながら、日露戦争を勝利に導いた大元帥、東郷平八郎を頭に描いた。

西郷の影

東が大隅《おおすみ》半島、西が鹿児島半島。

にょきと突き出た東西二本の半島は、ゆるやかに内側に湾曲し、まるで巨大な蟹《かに》の鋏《はさみ》だ。

車はその鋏の片側、西の鹿児島半島を南下していた。

海は穏やかである。

ぬくぬくとした日盛りに、望月は福島の病院で見た歌舞伎座のチラシ写真を思い出していた。

西郷と称する歌舞伎座写真は判明している。薩摩藩士、永山弥一郎《ながやまやいちろう》（一八三八～一八七七）だ。永山の写真は数枚残っていて、間違いはない。

ここで疑問がふくらむ。歌舞伎の主催者が、永山の顔を持ってきた理由である。

「あの国民的英雄、西郷の顔に永山の顔をハメた……」

これは、どういうことなのか？

今とは違って昔は媒体手段が極端に少ないから、このチラシは桁違いに目立ったはずだ。目立てば抗議が殺到する。

合理的に考えれば、やはり限りなく西郷隆盛に近かったと考えるべきで、だからこそ永山は、西郷の影武者だったと言われているのだ。

影武者は瓜二つでなければ務まらず、やはり西郷はこの手の顔に違いない。

そして「一三人撮り」の男は、永山本人とそっくりなのだ。

では、「一三人撮り」も永山本人ではないか、という疑問が湧く。

いや違う。がたいだ。身体が大きすぎる。

数枚の写真で永山の背丈が推し測れるが、並である。

結論として一三人撮りは、永山そっくりな別侍である。

「西郷さんは、下戸《げこ》だったという話ですね」

助手席にゆったりと身を預けた望月がしゃべった。

「ええ、見かけ倒しといいますか、酒はまったく嗜《たしな》まなかったようです」

井上が答えた。今日はシャツの上から、シャレた茶色のベストを着けている。

「しかし愛煙家だったとか」

「ですね」

「好物は？」

「豚肉です。豚肉野菜炒めが大好きだったみたいで、市内にも同じ料理を食わせる店があります。よかったらあとで行ってみますか」

望月は、失礼のないように遠慮した。

「それにしても」

井上が話題を戻した。

大正時代の歌舞伎座のチラシに掲載された西郷(上)は、薩摩藩士の永山弥一郎(右)だった。

「当時の食料事情から言えば、豚と野菜の取り合わせは理想じゃないですか。それで背丈がぐんと伸びたわけじゃないでしょうが、一八〇センチとはなんとも……」

今なら一九〇センチの感覚だ。

一三人撮りの中の、西郷と思しき侍は頭が一つ抜きん出ている。天を突くほどの身長、合致する。

「図体というか……横幅もありまして」

井上は、まっすぐ前を向いて続けた。

「一〇〇キロは軽く……」

――そこだ！――

声には出さなかったが、まさにそこなのだ、引っかかっている点は。

一三人撮りはアスリート系の締まった体型で、頬も削げ落ちている。

顔はふっくら、腹がぽっこりの銅像、肖像画と逆だ。体型で見るかぎり旗色は悪い。

「一〇〇キロオーバーですか……」

しょんぼりした声で顎をさすった。

〈西郷はヘラクレスのような身体をしている〉

望月は、オーストリア人男爵、ヒューブナーの目撃談を思い出した。彼は一八七一年九月六日、英国公使館で西郷に会い、手紙にそう書いている。

白人がヘラクレスと表現する場合、胸板が厚く筋肉質で胴がくびれている大男を指す。となると一三人撮りに近い。

腹が出ていたのか、引き締まっていたのか？　望月は助手席に座りながら中途半端な気持ちで、腕を頭の後ろで組んだ。

「もっとも」

井上が、うれしいことを言った。

「沖永良部島流罪《るざい》から帰って来た時は、死にそうに痩《や》せていて、足も立たなかったといいます」

「えっ」

望月は、思わず腕をほどいた。

「痩せていた？」

「はい」

「衰弱で？」

「フィラリアをご存じですか？」

「犬の寄生虫ですね」

「人間のやつです」

「人間にもフィラリアが？」

「ええ、蚊を媒介として、昔は南方の島々が危なかった」

「そいつが西郷さんにも寄生していた……」

井上は、ステアリングの一〇時一〇分を両手で握りながら頷く。

「すると、どうなります？」

「発熱を繰り返しますが、けっこう強烈な寄生虫ですから」

「激痩せもあり……」

「それで島から戻ってきたときには、骨と皮になっていた……」

「そうです」

痩せた西郷が存在したのだ。

考えてみれば、人間は痩せたり太ったりするわけで、写真が痩せているからといって、人生ぜんぶがぜんぶ痩せているわけではない。

「激痩せ」そして「ヘラクレス」というキーワードは、一三人撮りにお墨付きを与えた。あとは撮影時期だ。島から帰って間もない、痩身《そうしん》時だと分かれば勝利は目前である。

「先生、そのフィラリアですがね。リンパを破るので、典型的な後遺症としては、足の象《ぞう》皮症《ひしょう》があります」

写真で見たことがある。足が腫《は》れて、象の足に見える病気だ。

「人によっては男の大切なナニがぱんぱんに腫れるのですが、我が西郷どんも、ひどかったといいます」

有名な話だ。西南戦争では股間が邪魔で歩行もままならず、かといって馬にも乗れず、移動はもっぱら駕籠だったという話が伝わっている。

「西郷どん切腹の後、首のない死体を判別できたのも、巨大に腫れあがったナニのせいです」

福耳の謎

双方、わきまえた年である。

運転席と助手席で持論を声高に振りかざすこともなく、何を話しても、受容、寛容で居心地がよい。かといって、長い沈黙もかくべつ気にならなかった。

これが相手が若者だと、そうはいかない。ぎくしゃくとした気働きがあって、かえってこっちが疲れる。話したい時に話し、しゃべりたくない時には黙っていられる気楽さは、お互い齢《よわい》を重ねた者同士の特権かもしれなかった。

望月は双眼鏡で、対岸の桜島や湾に浮かぶ船を覗いた。時々、後ろも振り返ってみた。

怪しい車はなく、快適なドライブ日和である。

これで冷たいお茶と粒餡《つぶあん》豆大福があれば、何も言うことはない。だが、ダイエットである。

我慢は、やりたいことの未来への先延ばしだ。楽しみを延ばせば今が生きてくる。人間、辛抱のない暮らしは品がない。このほどよい我慢との調和が、ゆるやかな品を醸し出す。そう思えば、またダイエットも楽し、だ。

大福で思い出すのも苦笑ものだが、西郷の耳朶《みみたぶ》がぼんやりと頭に浮かんだ。福耳。肖像画も銅像も、大福耳だ。いくらなんでもデフォルメではないだろうか？一三人撮りがひっかかる。こっちは普通なのだ。フルベッキ写真にいたっては、すっとした切れ上がったような平耳である。

そのことを話題にした。

「ああ、それでしたら西郷どんは福耳ではありませんね」

井上が即答した。

「関係者はみな、そこを不思議がっていましてね」

「どこですか？」

「耳ですよ。たかが耳ですから論争にはならんのですが、肖像画と銅像には首をひねるばかりです。実は西郷どんと、実際に会った人物が描いた下手くそな似顔絵が数点残っています」

「ほう、で、どうでした？」

「みな平耳です。もし、あれほど垂れ下がっていたなら絶対に見逃すはずもなく、そう描くはずです。口伝も、まったくもって普通の耳でした」

望月は首を捻った。肖像画と銅像のデフォルメの意図するところは何か？

こうなると、やはりフルベッキ写真しか考えられない。

つまりフルベッキ写真の西郷は平耳だ。印象的でさえある。したがって、写真の男を西郷でなくするために、逆のぷくぷくの布袋《ほてい》耳を工作する。

「耳が違う」

その一言で別人になり、自動的にフルベッキ写真は西郷ではなくなる。

これも目くらましの・「結界」だ。

ロイヤル・ストレート・フラッシュという最高の手はいらない。ワン・ペアを、小出しに使用する。そうすれば、自覚なしに写真は遠ざかり、ニセ物になってゆく。

写真が痩せているという壁、耳朶が違うという壁。望月はその壁がどんどん壊れてゆく実感を味わっていた。

よい気分で風景に眼を休めた。

ぼんやりと飽きもせずに眺めて、再び前方に眼を移すと大きな看板が目に入った。

〈いぶすき温泉〉

「昔」

タイミング良く、井上が口を開いた。

「新婚旅行と言えば指宿《いぶすき》でしたが、昨今はさっぱりです。まあ三万円も出せば、ひょいと飛行機に飛び乗っての海外旅行という御時世ですから、そっちに持って行かれるのは時代の流れでしょうが……」

そう言って井上は、人影のない温泉街にちらりと眼をやった。寂しそうな慰安の色が目元にあった。

かつての温泉街は、新婚旅行の定番だった。それも高度成長期までである。登別《のぼりべつ》、熱海《あたみ》、箱根《はこね》、湯河原《ゆがわら》、別府《べっぷ》……栄華を誇った勢いはなく、みな夢の跡だ。

航空運賃が下がり、円が強くなったのも要因だが、同じ浴衣《ゆかた》を着て、否も応もなく同じ飯を食わされるスタイルがウケなくなったというのも一因だろう。

昔の風景が重なって、なつかしい思いが湧き上がってきた。

センチメンタルに浸《ひた》っていると、車は海岸線を逸《そ》れた。

車は静かな林道を走った。まもなく雑木林の間に、深緑の大池が見えはじめる。

「鰻池《うなぎいけ》です」

と井上。目的地だ。

鄙《ひな》びた建物が、ひっそりと肩を寄せ合っている集落である。

人っ子一人見かけず、もくもくと地面から上がる温泉の白い煙だけが、建物と建物の間、数カ所からたなびいている。

鹿児島半島南端にある鰻温泉だ。

車から出て、すこしぶらぶらすることにした。

座りっぱなしの身体を伸ばし、四、五メートルほど歩いた。ステッキを突き、水ぎわに降りてみた。

大きな池を眺めた。池というより湖に近い。水に臨んだ木が、ぴくりとも動かず夏の炎天に蒸されていた。


明治になって七年目、西郷はこの温泉で身体を休めていた。

その時、佐賀の乱を抜けた江藤新平（一八三四〜一八七四）が、必死の形相で駆け込んでくる。すがったのは、西郷である。

記録によれば、西郷の逗留先は福原市左衛門《ふくはらいちざえもん》宅。

湯治静養中の西郷に、江藤は決起を促す。半端な気持ちではない。全身全霊で訴え掛けたが、しかし西郷は動かなかった。

佐賀藩士、江藤もまた、若い時分から胸に南朝を忍ばせている。

西郷が静養した鰻温泉（写真は鰻池）。

『楠公義祭同盟《なんこうぎさいどうめい》』、楠木正成、正行親子の南朝への忠義を称える結社が、佐賀藩の幕末を主導している。

江藤は大隈重信《おおくましげのぶ》（後の参議、内閣総理大臣）、副島種臣《そえじまたねおみ》（後の参議、内務大臣）、大木喬任《おおきたかとう》（後の参議、文部大臣）、島義勇《しまよしたけ》（後の北海道開拓使首席判官、明治天皇侍従、秋田県令）たち『楠公義祭同盟』のリーダーだった。

切れ者である。

江藤は戊辰戦争に突入してゆく。

江戸城無血引き渡しとなった時、秀《ひい》でた男とはそういうものなのだが、江藤はいち早く城内に飛び込んで、あらゆる書類を接収。京にとって返すと、江戸を東京と改めるよう進言した。つまり江藤は、明治天皇の居場所は京都ではなく、江戸だと主張していたのである。だから江戸が東の京、東京となったのだ。

一八七二年（明治五）には司法卿、翌年には参議という重い役職に就いて警察制度、司法制度の整備を図っている。

江藤は、侍の衣《ころも》を脱ぎ去り、士農工商の撤廃、四民平等を強く主張する。民権主義を身につけた明治の申し子だ。

人々に行政訴訟の権利を与え、官吏の汚職に厳しく、それゆえに新政府を牛耳っているビッグ2を敵に回すことになる。

さらに、山縣有朋が関わった山城屋《やましろや》事件、井上馨《いのうえかおる》が関わった尾去沢《おさりざわ》銅山事件を厳しく追及し、二人を辞職に追い込むなど利権汚職まみれの長州閥の仇《かたき》となる。

これが「佐賀の乱」につながってゆく。

天皇の世になっても、状況はけっして良くなったわけではない。飢えと貧困は、むしろひどくなっている。日本は瓦礫の山だ。こんなはずではなかったと騒ぐ食いつめ浪人が東西南北、日本中どこにでもいた。不満は負けた東北より、勝った西南にとぐろを巻く。

「勝ったのに、これは何のマネだ」

で、「佐賀の乱」だ。

しかし「乱」という言い方は間違っている。「乱」という表記には、不逞の暴徒が治安を乱した、という蔑《さげす》みが含まれている。

したがって、西軍（官軍）が勝った戊辰戦争は「戊辰の乱」とは言わない。西南戦争も同じ伝で、二つとも「戦争」である。

漢字表記と用語の使い分けは、一見どうということはないように思える。しかしそれはとんでもない過小評価だ。

「横領」を「埋蔵金」や「プール金」と置き換えれば役人の罪が消えるし、原発の「爆発」を「白い煙が上がった」と発表すれば、下町の松の湯みたいにほのぼのとしてくる。

「やらせ」もすごい。「やらせ」だと言い切ってしまえば、エリート階級による偽装工作という国民に対する重大な詐欺行為が、子供の悪ふざけになって無罪放免になるほどだ。「収賄《しゅうわい》」を「接待」、「暴力」を「体罰」、「脅し」を「指導」……いっぱいある。

ことほどさように言葉は知らぬ間に影響を与え、「善」を「悪」に貶《おとし》め、また「邪」を「正」に変えてしまうのである。

「佐賀の乱」というろくでもないレッテルを貼られ、首謀者とされた江藤が、寒風吹きすさぶ戦場を抜けて、ぬくぬくと温かいこの地に西郷を頼った。

江藤は、ほっと生きた心地がした。

どういう会話があったのか？

望月は水辺の木の切り株に腰を落とし、静かに眼を瞑《つぶ》った。しばらくすると網膜に、二人が映った。

嵌《は》められた江藤新平

「西郷殿」

憔悴《しょうすい》しきった江藤が語った。

「ご存じのとおり、とんでもないことになり申した」

「……」

「私は長崎の深堀《ふかぼり》で休養中でありました。そのうち、佐賀が騒がしいと仲間の同志に呼び出され行ってみると、政府軍が寄せてくる、攻めてくる、と騒然の真っただ中」

「……」

「私は、大久保に嵌《は》められたのです」

幕末から江藤は働きづめだった。江藤の耳には、不安定な国元の情況は入っていたものの、むしろ帰郷は骨休めの感が強かった。

東京を離れたのは一月三日、まったく同じ日に動いた人物がいた。大久保である。

まだ佐賀では武装蜂起の気配はない。

にもかかわらず、大久保は佐賀討伐の姿勢で宮中に赴《おもむ》いている。予防的措置ではない。腹は決まっている。江藤と江藤の息のかかった、佐賀を完全に消しにかかっていたのである。

そのためのシナリオを頭に描いての準備、強迫観念的権力狂いの真骨頂、ショー・タイムの幕開けである。

佐賀抹殺！

大久保には強力な内通者がいた。佐賀の秀才、大隈重信だ。大隈は顔を出さない。当たり前だ。自分の故郷に対して、そりゃまずかろう。

大久保の佐賀潰しは綿密だ。一月二八日　それまでの佐賀県令（知事）を更迭《こうてつ》し、代わりに自分の子飼、岩村高俊《いわむらたかとし》を座らせる。元陸援隊士だ。

二月二日　何も知らない江藤が長崎の深堀温泉に到着する。佐賀からの距離、八〇キロ。

四日　大久保が密かに、熊本鎮台《ちんだい》に佐賀出兵の命令を下している時、江藤はまだ頭に手拭いを載せ、温泉三昧だ。翌日、大久保が明治天皇より佐賀追討令を拝受。

一二日　江藤が呼び出しに応じる。ほてった身体で佐賀に入ると、刺々《とげとげ》しいどころではない。上を下への大騒ぎだ。政府軍の来襲だという。耳を疑い、情報収集に努める。大久保の心理解析もままならず、話し合いもへったくれもなく敵は戦闘態勢に入っていて、いまさらどうにかなるものではなかった。

知れば知るほど問答無用。今日、明日にも押し寄せて来る気配で、標的は自分と佐賀の民権運動家の首だと悟る。

一三日　選択の余地がなくなる。急な話だが有志たちと自衛の決議をとる。

一五日　岩村県令は、戦仕度も物々しい熊本鎮台兵を引き連れて進軍、佐賀城に入城、土地に土足で上がり、我がもの顔で士族たちを挑発した。

一六日　佐賀軍攻撃。

一八日　熊本鎮台兵が、県外に退却。しかし大久保率いる東京、大阪鎮台が続々と到着。臨時雇いの雑兵だが、武器が違った。最新の大砲が次々と火を吹く。戦況は怪しくなって、佐賀軍が総崩れになる。

二三日　江藤、佐賀脱出。

三月一日　佐賀軍が降伏した同じ日の夕刻、鰻温泉に江藤が西郷を訪ねる。面談はほぼ三時間。

二日　早朝から会談、九時頃あきらめた江藤は、西郷の宿を出る。

宿の老女将の口伝が残っている。

最初は静かだったが、次第に声が大きくなり、西郷がこう語気を強めたという。

「おいどんが言うようになさらんと、当てが違いますぞ」

当てが違う……。

西郷の指示の中身は、どういうものだったのか？　今となっては知る由《よし》もないが、江藤はおそらく、天皇すり替えを公表し、決起を迫った。しかし政府と対立していたはずの西郷も、江藤と生死を共有することはなかった。

一縷《いちる》の望みを託し、四国へ向かう江藤。危険な旅路だ。

宇和島《うわじま》着は一三日後、高知へは三月二四日に着いている。

江藤の同志、板垣退助の部下にあたる林有造《はやしゆうぞう》（高知県令）と片岡健吉《かたおかけんきち》を訪ねる。江藤はくたびれきった顔で武装蜂起を説いたが、もはや負け戦は四国まで知れわたっており、返答はうめくような中身でしかなかった。

「自首が、賢明と存じます」

林有造に諭《さと》される。

がっくりと肩を落とす江藤。すでに牢獄に繋《つな》がれたような気分だったが、最後の力を振り絞って上京、正当防衛の意見陳述を最後の夢とした。

移動しはじめたとたん、高知県安芸《あき》郡東洋《とうよう》町で捕捉されている。

江藤の会った相手が悪かった。林有造は大久保の犬、岩村高俊の兄だ。江藤は林の密告で捕まったという説は、信憑性《しんぴょうせい》がある。

江藤は望んだ東京ではなく、見せしめのため硝煙の臭いも生々しい佐賀送りとなる。

四月七日、佐賀到着。

しびれを怒りに転じて待っていた大久保利通は、陣頭指揮で裁判を即座に開始。

四月八日、九日の二日間、一切の申し開き、弁論は認めない、文字どおりの暗黒裁判だ。この世の地獄である。

大久保は黙っていても、誰も口をきけないほどの恐ろしい雰囲気の持ち主だ。その大久保が鬼の形相で傍聴席に座っている。異常なまでに自己中心的な視線が、江藤の首を舐めるように洗っていた。

判決は一五日、その夕方即刻、斬首。酷《むご》い死に様である。

江藤は軍人ではない。政治家でもない。自分で考え、状況に挑み、新たな世界を切り開く人間だった。

四民平等、開かれた裁判。欧米の法律に長じ、学に秀で、才を持ったがゆえに、明治天皇を自在にあやつる独裁者に殺されたのである。

大久保は維新十傑の一人、現代で言うなら法務大臣であった江藤を、一言も語らせずにこの世から抹殺したのである。

対立の根は何か？

征韓論での衝突だということになっている。

しかし、決してそうではない。

江藤の素顔に、征韓論はどこにも見当たらない。

これぞ「歴史の捏造」だ。佐賀戦争の根っこが征韓論の内部対立にあるとするのは、国民の眼を問題の本質から逸らせるいつものプロパガンダにすぎない。

尊大な岩倉、傲慢みなぎる大久保、カネ儲けに走る長州閥。三者が私物化する明治政府にとって、断然危ないものを江藤が強く推し進めようとしていたからだ。

「議会開設」。

すなわち民権運動である。

何の根拠もなく、ただただ力ずくで権力を握ったビッグ2と長州閥の、もっとも苦手とする思想だ。

議会だけは呑めない。絶対に認めない。真っ向から否定し、江藤と板垣退助の民権運動を絵に描いた餅にしてしまおうと企《くわだ》てたのである。

ところが憎らしいことに、江藤たちは運動の足掛かりとして「幸福安全社」を銀座に造って対抗した。

それを母体として「愛国公党」を結成、着々と民権の確立に歩きはじめる。

加盟者は江藤新平、副島種臣、後藤象二郎《ごとうしょうじろう》、板垣退助など佐賀と土佐の反主流派だ。

「民撰議院設立建白書」。

これぞ、選挙への道標《みちしるべ》だ。江藤が署名したのは一八七四年（明治七）一月一二日、まさに東京を出る前日だ。江藤は愛国公党のリーダー的幹部として、自分の心のけじめを付けるべく、長崎の深堀温泉に旅立ったのである。

議会での議論、そして多数決。あまつさえ選挙も視野に入っている。

ようするに天皇をあやつって行なう専断越権政治とは真逆である。江藤の勢いが増せばせっかく造った権力構造が瓦解する。

多数決になれば、自分たちに未来はない。ビッグ2が焦りに焦った。

多数決でもまずいのに、まかり間違って選挙などということにでもなれば、不人気の大久保と岩倉の落選は確実で、一切の権力を失うことになる。

むろん、どさくさに紛れて甘い汁を吸っている伊藤博文、山縣有朋、井上馨の長州利権三羽烏も退場だ。再起動はない。

堪忍袋の緒が切れたビッグ２＋長州三羽烏は、江藤佐賀グループにターゲットを絞った。

敵に最終兵器がある。「天皇すり替え」という事実だ。

江藤たちは、それを知っている。

つまり、フルベッキ写真に写っている連中は全員が知っているのだ。たいはんが佐賀藩士である。望月が分かっているだけでも江藤の他に、山中一郎《やまなかいちろう》、香月経五郎《かつきけいごろう》、大隈重信、中島永元《なかじまながもと》、中野健明《なかのたけあき》、江副廉蔵《えぞえれんぞう》と、六名がいる。

このうちの誰かが頭に来て、「沈黙の掟」を破り、真相暴露となったら明治政府は吹っ飛ぶ。

いや、江藤は激論になった時、「嘘で固めた天皇制など、もうよかろう」とついにそれを仄《ほの》めかし、すでに虎の尾を踏んでいた可能性は高い。

ビッグ2と長州利権三羽烏は、瀬戸際まで追い詰められていたのである。

大久保は決断した。

「天皇の追討令さえあればいい。全員まとめて粛清する」

腰を抜かすほどの独裁だが、選挙がなく、議会がなく、自由に動かせる天皇がいれば作戦はこうなる。

『沈黙の掟』を裏切った者は、首と胴を切り離す。

そのとおりに事は運んだ。江藤は晒し首、山中、香月の両名も斬首になっている。

同じフルベッキ組でも、政府軍に加担した大隈重信とその仲間、中島、中野、江副は無事に出世をとげている。むろん、協力、中立、または渡欧雲隠れを装ったご褒美である。

望月は池を眺めながら、もう一度宿屋の老女将の証言を思い出した。

「おいどんが言うようになさらんと、当てが違いますぞ」

この言葉から、江藤が西郷に逆らったことが分かる。

絶望的になった江藤は自分は独《ひと》りでも天皇すり替えを暴露し、天下万民に信を問うと頑強に主張したのではないか。

しかし西郷は断固として首を振った。ありえないことだった。

西郷はまだ南朝を奉じている。天皇のためなら裸足での富士登山をもいとわない根っからの皇国史観の持ち主だ。江藤の気持ちは分からぬでもないが、六〇〇年の時を経て、ようやく南朝天皇の世が来たのだ。大久保がどれほど腐っていようとも、あのお方がいる限り、銃は向けられない。

「へたに動けば、この国は元の木阿弥、天皇だけは触れてはいかんばい」

「これは異なこと、南朝天皇の子孫など、星の数ほどいる一山いくらの一人。いやいや、それどころか、どこの馬の骨か分からぬ長州の騙《かた》りかもしれぬ。本当に敬えますのか？　それより、士農工商を外すならば、アメリカのように皇族も廃止すべきではござらぬか」

四民平等を主張した民権政治家の江藤と、分かりあえるわけはない。

「おいどんは心得なか。暴露は反逆になり申す。とくと考えなされ、おいどんが言うようになさらんと、当てが違いますぞ」

絶望した江藤は西郷と別れ、暴露作戦を四国土佐に持ち込むが、血眼になっていた大久保によってすでに手は回っていた。

明治天皇が現人神となって早七年、素性不明のまま、今や神格化の洗脳は全国民に徹底しており、その土台を崩すなど、命がいくらあっても足りない話で、咎人《とがにん》となった江藤を助ける者はいなかった。

望月は、水面に西郷の残影を追った。

「おいどんにできることは、なかとばい」

望月は西郷の見た時のままの風景を目に焼きつけ、鰻池を離れた。結果、西郷も同じ運命を辿ることになる。

もう一枚の一三人撮り

進取の気性に富む薩摩の殿様、島津斉彬が完成させたのが一連の工場群「集成館《しゅうせいかん》」だ。せっかくの工場群も薩英戦争のおり、英国艦隊のロケット砲で街共々あっけなく灰燼《かいじん》に帰する。

いくら侍《さむらい》風を吹かせようが、実力にこう差があっては仇討《あだう》ちもあったものではない。薩摩の変わり身は早かった。

斡旋《あっせん》したのは二六歳、若きグラバーだ。すぐさま薩摩は英国と和解し、イギリス技術陣を招いて最新の機械工場を造りはじめた。

その名残の一つが、歴史資料博物館になっている。

望月と井上は、事務室に通された。

お定まりの名刺交換のあと、小さなテーブルを挟んで前に二人、横に一人が座った。様子から、井上はそのうちの一人と面識がありそうだった。

「御多忙中、ありがとうございます」

時間があまりなかったので、さっそく望月が切り出す。

「島津忠義らしい人物と藩士の写真を見たことがあるのですが、心当たりはございますか？」

望月の問い掛けに三人が顔を見合わせる。

一三人撮りのコピーはホテルに置いたままだ。別に持ってきてもよいのだが、望月はその気になれなかった。土地柄、コピーが不穏、不吉を招き寄せるような気がしたからだ。

さあ、とみな首を捻る。

「どんな写真ですか？」

「忠義らしき若侍が椅子に座り、その周りを一二人の武士が囲んだものです」

「ありえません」

正面、左の職員が言い放った。小太り、歳のころは四〇代半ばであろうか。

「藩主が、他の侍と一緒に写真を撮ることはありえない」

にべもない。そりゃそうなのだが、型に嵌まったありそうもないことを発掘するのが、歴史に携わる望月の仕事だ。

「僕の見た古写真には『島津公』と書かれていたものですから、てっきり忠義ではないかと」

「どんな写真ですか？」

別の職員が、また同じことを訊いた。望月は、同じ説明で答えた。

「それだったら、あれじゃないのか？」

にべもなかった男が、隣の男にしゃべりかけた。

「しげとみだよ」

「ああ、うずひこだ」

「そうだよ」

内輪で合点がいったように頷き、こちらを向いた。ただそれだけである。

身内で囁き合っただけで、ちんぷんかんぷんである。部外の余所者には、まるで暗号だ。

「心当たりが、ございますか？」

その質問にも、無反応で望月を眺めている。

「うずひことは、どなたですか？」

もう一度訊ねた。

「ですから、忠義の弟です」

ぶっきらぼうな返答に、望月は眉根を寄せた。

すると一人が立った。

残った二人からは、それ以上の説明はなく、ぽっかりと無言の空間が生まれた。何か行き違いがあったのかもしれないが、正直嫌な雰囲気だった。

手持ち無沙汰になった望月は、ここには、あちこちから西郷さんらしき写真が持ち込まれるのではないですか、などと間をつなぐが、反応は悪い。迷惑そうでもある。虫の居所が悪いようで、どうにもノリがよくない。

そのうち職員が戻ってきた。持ってきた写真のコピー一枚をテーブルにすっと置いた。

これまた無言だ。

「ああ、これではありません」

望月が即座に首を振ると、また二人が顔を見合わせた。

「じゃ、みやのじょうじゃないのか」

と互いに言葉をかわす。

「あっ、そうか、そうか、そうだよ」

納得がいったようだった。それで終りである。望月が分からない顔をしていると、一人が席を立った。立つのはいつも決まった職員だ。

二度目に持ってきたのは分厚い本だった。

目の前のテーブルの上に、どんと置いた。開かれたページに小さな写真が見えた。気を取り直して身を乗り出し、顔を近づける。

虚を突かれたように、望月の眼が釘付けになった。

まさに一三人撮りである。

「この人物ですが……」

いささか興奮気味に真ん中の侍を問うと、冷静な声が返ってきた。

「ですから、久治《ひさはる》です」

島津久光の次男で、宮《みや》之城《のじょう》家を継いでいると指摘した。

先ほど目の前の職員二人が、みやのじょうだと囁き合ったのは、宮之城のことだと分かった。

ちなみに、最初に口にした「しげとみのうずひこ」という暗号も、重富《しげとみ》家を継いだ三男の珍彦《うずひこ》だ。

久光——忠義、長男（島津家）後に公爵
　　　　久治、二男（宮之城家）後に男爵
　　　　珍彦、三男（重富家）後に男爵
　　　　忠欽《ただかた》、四男（今泉家）男爵
　　　　忠經《ただつね》、五男、早世
　　　　忠済《ただなり》、六男（玉里《たまざと》家）公爵

こうして見ると久光は、子宝に恵まれている。

子宝とはよく言ったもので、封建時代、子供をあちこちの名門へ養子に出せば、少しくらいのいざこざなら丸く収まる。まさに子宝である。

望月は、分厚い本の表紙を見た。

『宮之城史』というタイトルがついていた。

結論として一三人撮りの真ん中の若侍は島津家最後の藩主、忠義ではなかった。それがはっきりすると、描いていたイメージが遠のいた。たしかに、一つの仮説が霞んだが傷は浅い。いや別の風景が近づいてきた。勝負はこれからである。

「この右の男が西郷隆盛だという説がありますが、どう思いますか？」

「ありえません」

問題外といった口調だ。

「どうしてでしょう？」

断言したわりには、誰も答えなかった。理由がないが、とにかく違うという固い意志が顔から読み取れる。

「他の面々は、特定されているのですか？」

「はい」

即答に驚いた。この手の古写真を精密に分析し、その結果一三人全員の身元が一〇〇パーセント明瞭に答えられる研究家はいない。ＤＮＡ鑑定でもしなければ無理だ。

「すべてですか？」

また頷く。

「お教え願えますか？」

「突然言われても……」

急に口ごもった。

望月は、それ以上の質問をやめた。おそらく弾《はず》みで答えてしまったのだ。こういう弾みは傍迷惑だが、時々見かけるタイプだ。

「後ほどでけっこうです。お分かりになったら、是非お教え願えますか？」

職員はどちらともとれる曖昧さで言葉を濁したが、案の定、後ほどになっても連絡はなかった。

望月は礼を述べ、ついでに、写真の載っている頁のコピーを一枚だけお願いした。

心地よい井上とのドライブは、ホテルで終わった。互いの齢にもたれ、慣れ合った二日間、まことに良い時間を過ごしたものである。

部屋へ戻った。

と、ドアの下から一枚メモが差し込まれていた。望月は不審気に拾った。

〈作家は引退しろ！〉

もう馴れっこになっているということもあるが、身勝手な脅しや暴力に、闘争心を燃やす気力はない。

ただ、いわき市での襲撃といい、この部屋を突き止める調査能力といい、その過《あやま》てる力と機動力がいやらしかった。

七面倒臭い手合いだが、降参する気はない。どう逆立ちしたって、望月の人生などあと二〇年、いや一五年、今さら自分の信念を曲げる道はない。

――いつでも来なさい――

どうでもよくなってシャワーを浴びた。

さっぱりとした気分で着替えたが、まだ腹が空いていなかったので、少しばかり当世流行のｉＰａｄを手に取った。

こういうツールは苦手だった。敬遠したいのは山々だったが、歳ですなと言われるのがシャクにさわった。そんなわけで使っているうちに遠視のぼんくらの眼《まなこ》に、文字が自在に拡大できるｉＰａｄは意外と重宝で、今では手離せなくなってきているのだ。

ざっとニュースに眼を通した後、島津久治を検索した。

ｉＰａｄを閉じ、何気なく先刻、非協力的な歴史資料館事務室で手に入れたコピーを眺めた。

何気なくが、思いもよらずを引き寄せる。望月の眼を丸くした。一三人撮りの撮影時期が記されていたのである。

ユカからの連絡はなかった。

山高帽から兎。東郷平八郎だというマジックのような一言は気になったが、忙しいのだろう。こちらからの連絡も後回しにして、とりあえず外に出た。

タクシーの運転手に訊くと、グルメ・ストリートというのがあるらしい。暑い夜である。居場所を求めて少しうろつく。汗でシャツが背中に貼り付くほどだ。

タクシーを降り、行き当たりばったりで、こじゃれたイタリアン店を見つけた。

ひんやりとした店内には客は誰もいなかった。夜の七時にこの不人気である。しくじったかな、と思った瞬間、愛想のよいオーナーらしき人物と眼が合った。笑顔に引き寄せられつつも、半分後悔しながらカウンターに座った。

シャンパンを頼んだ。一口呑む。

冷たい発泡《アワ》が体内を勢いよく弾き、至福の安堵をもたらす。枯れた店が、たちまち格別な空間に変わりはじめる。あまりの旨さにこらえ切れず、立て続けに二杯目を空けた。

適当につまみを二、三点出してもらったが、これも旨かった。

素材をそのまま生かしたカナッペ、自然をとり込んだカルパッチョ、イタリアンの枠を外した雛豆《ひよこまめ》のペーストを使った料理。

カウンターごしに、オーナーとたわいのない話をしながら、三杯目を頼んだ。

肩肘張らず、ゆるりとした時を刻んでいるとケータイが鳴った。沈黙の抵抗の奥田だった。

「古写真で、何か分かりましたか？」

店主に断わって、席に座ったままケータイを使った。

「忠義ではなく、次男の久治でした」

落胆した声が聞こえた。

「いやいや、西郷が否定されたわけではありません」

望月は、ｉＰａｄで調べたばかりの久治を説明した。

実父は島津久光、生まれは一八四一年だ。

弱冠一五歳で薩摩藩海防総頭取に就任、海と沿岸防衛の最高責任者になっている。

薩英戦争勃発時は二二歳、兄の忠義に代わって薩摩海軍の指揮をとり、長いこと海にかかわってきた久治だが、禁門の変では皇居警衛総督として京都に赴任し、二五歳で薩摩藩の家老まで登り詰めている。

派手な活躍はそこまでだった。

せっかく家老になったのだが、最後まで父久光の公武合体路線を捨てきれず、戊辰戦争の折、会津攻撃を尻込みして藩内から「軟弱」と突き上げられている。一八七二年、このセレブに何があったのかピストルでの自殺、わずか三一年の生涯だった。

望月はざっとの説明を終え、シャンパンを一口呑んだ。

「実は、撮影場所と時期が判明したのです」

「本当ですか？」

うれしそうな声が返ってきた。

キャプションにこう記されていた。

〈薩英戦争講和修交時の島津久治〉

〈元治《げんじ》元年一二月　薩英戦争の講和修交使として長崎に赴き、イギリス軍艦を訪問して交渉に当たる〉

元治元年は一八六四年だ。

「少々お待ちを」

傍らのショルダー・バッグからｉＰａｄを出し、画面を出す。

気持ちが先へ先へと進んでいる。指先の速度が速まり、そして指が止まった。

「奥田さん」

心に響く声に、カウンターの中のオーナーが振り返る。

「西郷は、沖永良部島から戻った年の暮れ、つまり一八六四年の暮れですが、ひと月、ふた月を岩国《いわくに》、下関、小倉《こくら》が活動範囲で……記録によれば中岡慎太郎《なかおかしんたろう》と行動を共にしている」

一三人撮りの時期と一致する。

「小倉で……何をしていたのですか」

「五卿《ごきょう》です」

「五卿？」

禁門の変で京を追われて長州に落ち延びたのは七人の公家。故《ゆえ》に「七卿落ち」と称するのだが、そのうち一卿が死に、一卿が行方不明で、五卿になっていた。

「西郷は三条実美以下五卿の身の処し方で動いています。幕府側と激しいやりとりをしたのは西郷本人で、結果、五卿を守って、預け先は太宰府天満宮……」

と答え、望月ははっと思った。

春日幸四郎の話だ。「西南戦争のスポンサーはグラバーで、その理由は天満宮に行けば分かる」、と言ったのを思い出したのである。

——西郷も五卿の預け先に天満宮を選び……そしてグラバーも……何かある——

熊本

鹿児島中央駅から、真新しい九州新幹線に乗り込んだ。

開通したのは、四年半前だ。

当時この開通を知る日本人は少なかった。それもそのはず、大々的な開通記念式典行事は、前日に起こった未曾有《みぞう》の東日本大震災が、すべてを吹き飛ばしていた。

シートを倒し、少し眠ろうと思ったが、ひっきりなしのアナウンスである。それも日、英、韓、中の、四連発。それを除けば、と言っても除けないのだが、まあ他は快適で、うつらうつらしていると四、五〇分で無事着いた。

まずは誉《ほま》れ高き熊本城へ向かった。

さすが、加藤清正《かとうきよまさ》が改築しただけのことがあって、名城と呼ぶにふさわしい貫禄である。

名城というのは、気品あふるる美しさもさることながら、敵を押さえ込む機能、ようするに戦う前に勝負を降りたくなる、見た目の威圧感にある。

目前にすれば、自分がどんどん小さくなってゆくような心理。この錯覚は重要だ。実際にも鉄壁だった。登り口、門構《もんがま》え、石垣《いしがき》の高さ、アドレナリンをいっぱいに漲《みなぎ》らせた薩摩軍が、昼夜を問わずぶっとおしで攻め立てても、落とせなかった理由が望月にも分かった。

「無事、熊本です」

ユカに携帯で報告した。

「わあ、先生……」

「城は見事で、来た甲斐がありましたが、この暑さは……」

ハンカチで首筋を拭う。

「東京も連日熱帯です。おかしなことはありません？」

「いわき市の一件もあるので、気を付けてますよ。移動は常に修学旅行生やら、某《なにがし》かの団体の中に紛れて、という戦法をとっています。敵も人中《ひとなか》では……」

生身の人間に、万全は無理だ。その時はその時だ、という開き直りがなければ、気が変になる。

「ユカさん、東郷平八郎ですが……」

まさか東郷平八郎を知らぬ者はおるまい。しかし昨今、そのまさかが多いので、短く紹介する。

平八郎の活躍は明治になってからだ。時としてこの世には信じがたいことが起こってしまうものだが日露戦争は日本海海戦、勝利の女神が微笑むどころか爆笑し、なんと世界屈指のロシア帝国バルチック艦隊を一方的に破ってしまった連合艦隊司令長官なのである。

当時は人種差別が普通だから、白人がイエロー・モンキーに惨敗したというニュースはまたたくまに欧米を席巻した。

その東郷平八郎元帥が一三人撮りの中にいるという。

「撮影時、西郷が三八歳ですから……」

「まだ未成年、一八歳くらいでしょうか」

「なるほど……分かりました。どんどん他の侍も進めてください。こっちはどうも……インスピレーションが今ひとつ足りません。実はいつもの蜂蜜を忘れましてね」

「あら大変」

ユカが冗談めかして言った。

「二日間蜂蜜なし。これじゃ自慢の霊感は作動せずです」

望月の口調は真面目だ。

「ここらあたりで良質の蜂蜜を手に入れて、昼はそれをたっぷりかけた焼イモにしようと思っています」

「それと大福は？」

「だめですよ、ユカさん」

望月は溜息をつく。

「せっかく忘れようとしていたのに……」

「あら、ダイエット？」

「このところ脂肪の積載オーバーで」

携帯の向こうで、くすっと笑う声が聞こえた。

「先生のお帰りは、明日の夕方ですよね」

「そのつもりです。あっと、タクシーが来ました」

「よい取材旅行を！」


熊本に着いてから、望月の心にずっとしがみついている男がいる。

この地が産んだ大天才、横井小楠（一八〇九〜一八六九）だ。

歴史の裏方に徹してきたような目立たない男だが、キーマンに違いない。何としても身近に感じたくて、そのためにわざわざ熊本に寄ったようなものである。

「えっ、どこですか？」

タクシーに乗ったが、運転手はその旧居を知らなかった。観光客はめったに行かないらしい。

そんなこともあろうかと思って、用意していた地図を見せた。

「ああ、ここな。分かったばい」

けっこう距離が稼げるからだろう、明るい声が返ってきた。

横井小楠の武器は頭脳だ。武道でもなく、カネでもなく、この世は頭脳だ、ということを証明した男である。

肥後（熊本）藩士のくせに天下御免のヘッド・ハンティングで、かつて裏日本と称された福井藩の政治顧問に納まっている。

熊本 ↓ 福井

小楠を掘り出したのは勝海舟を後押しする開明派、福井藩主、松平春嶽である。

勝海舟をして、こう言わしめている。

〈天下に恐ろしいものを二人見た。それは横井小楠と西郷南洲だ〉

晩年の勝海舟のインタビューを綴《つづ》った『氷川清話《ひかわせいわ》』だが、その中でこうも語っている。

〈世の中のことは時々刻々転変窮《きわ》まりなきもので、機来たり、機去り、その間、実に髪《ハツ》を入れずだ。この活動世界に応ずるに、死んだ理屈をもってしては、とても追い付くわけでない。

横井は、確かにこの活理《かつり》を認めていた。当時この辺の活理を看取する眼識《がんしき》を有したるは、ただ横井小楠あるのみで……〉

坂本龍馬も手放しで誉《ほ》めている。

〈当時天下の人物と言えば肥後に横井小楠……〉（姉・乙女《おとめ》への手紙）

龍馬は小楠の頭脳を買っており、暗殺の少し前に書いた『新官制擬定書』には、路線の違いでいったんは喧嘩別れしたくせに、小楠を高く評価し、新政府最高のポジション、参議を与えている。

望月はタクシーの後部座席に揺られながら不世出《ふせいしゅつ》の天才、小楠の軌跡を順序よくなぞった。

一八三九年、熊本から江戸に出る。

三一歳だから江戸留学としては遅咲きだ。江戸への道すがら、兵庫の湊川に立ち寄る。目的は徳川光圀の建立した石碑。神と崇《あが》める楠木正成を奉じた碑だが、眼にしたとたん、感激のあまり心のこもった一首を詠んでいる。

むろん、横井小楠という名前は小さな楠木正成だ。朝も夕も楠木命《いのち》、この男もまた尊南朝だ。

種を明かせば小楠の血脈だ。

先祖は足利尊氏と闘った南朝武将、北条時行《ほうじょうときゆき》だというふれこみである。

血液ほど不思議なものはない。見映えはどれもみな同じ赤い液体で、しかも代が替わるごとに他の液体が加わって、どんどん原液が薄まってゆくにもかかわらず、二〇代も三〇代も長い時を遡《さかのぼ》った人物の血が、その人の立ち位置というものに何か決定的な影響を与えてしまうのである。

先祖が名門、あるいは評価の高い人間であればあるほど血によって、その人が造られるといっても過言ではなく、己の血に縛られるのは宿命であろう。

江戸に到着した小楠は水を得た魚のように、佐久間象山《さくましょうざん》はじめ、名だたる反体制の思想家という思想家をぐるりと巡った。知恵者は知恵者を受け入れ、けっして拒むことはない。

貪欲なまでの吸収精神、小楠はさらに足を水戸へ延ばして藤田東湖と会う。

マルクスが共産党の代名詞ならば、東湖は「水戸学」南朝の代名詞だ。互いに堂々たる尊南朝、意気投合しないわけはない。

刺激されて国表にもどった小楠は、私塾を開く。一八四三年のことだが、その名も「小楠堂」である。

一八五二年、「学校問答書」を著わす。

これをむさぼり読んだ吉田松陰は、是が非でも自藩、長州藩の教科書検定に合格させ、採用させたいと動いた。

吉田松陰は直情径行の人だ。

矢も楯もたまらず翌年の晩秋、萩《はぎ》からこの地に足を運ぶ。五日間の滞在だったが、飢えた子供のように、ほとんどの時間を小楠との面談に夢中になっている。桁違いの惚れ込みようだ。

帰郷しても敬服の度合いは時を追って熱を帯び、決して不自由はさせないので長州に来て欲しいと小楠に懇願するもののうまくいかず、実現はしなかった。

長州の星、高杉晋作《たかすぎしんさく》も小楠に惚れ込んだ一人だ。福井で本人と会った形跡があり、同志久坂玄瑞に、小楠を自藩の明倫館《めいりんかん》の学頭及び兵制相談役として招きたい旨を話している。

福井藩、長州藩、小楠はあちこちで引っ張りだこだ。思想家ヒットチャート、ナンバー1《ワン》。

なぜ、それほど人気があったのか？

お宝は、やはり頭脳。じり貧の藩を救い、かつ幕藩体制をぶち壊す彼の卓越した思想にあった。

これまでの岩盤ルールを破ってこそ改革である。

世は幕末、封建社会の真っ只中だから劣化ウラン弾でも壊れそうにない厳格な岩盤も岩盤、身分制度が築かれている。

士農工商、同じ士でもピンからキリまでの細分化。それぞれ持って生まれた氏素性というものが厳然とあり、その限られた中で相応の努力をすれば、自他共によしとする時代だ。

しかし、それを破壊する実践的思想を小楠は持ち続け、誰かれとなく熱弁を振るっていたのだから、すごい。

思想から実践へ。一段高めて、具現化させる理論と方策を持っていたのである。比類なき革命戦略家だ。

目指したものは、尊皇を利用した南朝の復活である。

「お客さん」

天からの声に望月は眼を開けた。どうやら物思いに耽《ふけ》っているうちに、ついうとうとしていたらしい。

旧居に造られた記念館は、住宅街の目立たない場所にあった。

「次はどけ行くですか?」

運転手が、釣り銭を受け取りながら訊いた。

「熊本駅に戻ります」

「戻っとですか。どんくらい待っとっとよかですか」

「たっぷり一時間は……」

「よかです。ゆっくりしとってよかですばい。メーターはサービスでよか。ここでずっと待っとってよかばいた」

「お願いします」

武士無用論者

記念館に入った。

大きくないが、吹き抜けの二階建てだ。

部屋の真ん中にどんと大階段があって、二階へ通じている。上にも展示物があるのが見えた。

閑散どころではない、見物客は一人もいなかった。

一階、二階をぶらぶらと見て回る。

古文書、手紙、資料……。

これらを読む場合、気を付けなければならないことがある。

当時の空気を想像することだ。

周りはスパイだらけである。人を斬る善人もいれば、人を斬らない悪人もいる。良心などあてにならない。漂う緊張感。余計なことを言って、バッサリと首が落ちても文句は言えない。

したがって本当のことは書けない。障りのある記述は暗号にせざるをえない。歴史家は、その暗号に気を付けながら裏を読み解かなければならないのである。

感覚も違う。よく、昔も今も人は同じだというが、決してそうではない。切腹、仇討《あだう》ちは善で、人が集まる。つまり仕返しに殺人を楽しんでしまうのである。公開処刑、晒し首に続々と人が集まった時代、社会の価値基準が違えば、人の心も違っている。

武士は食わねど高楊枝、口が裂けても自分がひもじいなどとは言わない。今の北朝鮮に似ているのかもしれない。本当は欲しいのではないかなどと訊ねただけで、おぬし、そんなことを言わせるのかと、瀬戸際の勝負になる。

怒りにかられれば残された日々をぜんぶ捨てるという侍の美学。当時の書簡を覗く場合、それら建て前をぜんぶ割り引かなければならない。

ところが小楠はどうか？

ぶったまげるが、思い切り赤裸々だ。武士無用論者なのである。

それに心酔した高杉晋作は、百姓を掻き集めて、奇兵隊《きへいたい》という強い軍隊を組織した。

止《とど》めは小楠のど派手な主張だ。

「君主は、その器がなければ取り替えろ」。

君主というのは天皇、将軍、藩主のすべてが含まれる。小楠を見出した松平春嶽の前でさえそう主張し、閉口させたぐらいである。

幕末の巨大思想家、横井小楠。

無礼は天才の証である。


望月は記念資料館脇にある『四時軒《しじけん》』に入った。

四季を眺めるという意味で「四時軒」と名付けた私塾だが、なぜ素直に「四季軒」にしなかったのか？　声に出して読めば「死事件」と不吉なサウンドとなる。蜂蜜が切れているので閃《ひらめ》きはないが、他に隠された意味があるのではないだろうか。

場所を思った。

熊本城から一〇キロ弱、阿蘇《あそ》の裾野だ。当時は湧水《わきみず》豊富な田畑竹林の田舎も田舎、どうやって人を集めたのか。学習塾としてはふさわしくないロケーションである。

それより隠れ家の方がしっくりいく。

望月はこう読んだ。

おそらく学習塾は隠れ蓑《みの》で、正体は秘密の花園、小楠のアジトだったのではあるまいか。

『四時軒』は、一八五五年に建てられている。幕府が長崎海軍伝習所を造った同じ年だ。

ここに住んだ小楠は、開国論を盛んに発信しはじめる。

福井藩、松平春嶽のブレーンとなったのはその三年後（一八五八）だ。

お気付きだろうか。松平春嶽は当時、慶喜を担ぐ一橋派の幹部だ。一橋派は開国反対を叫び、南紀派と鋭く対立している。しかし春嶽は開国論者の小楠に知的興奮を覚え、わくわくしながら三顧の礼をもって自藩に迎えている。これほどの矛盾があるだろうか。

そうつまり、春嶽は同じ一橋派にいながらまったく違う夢を見ていたのだ。開国して南朝復活の「隠れ尊南朝」だ。

一寸先も見えない混迷の中、ぱっと世を見通す小楠の活躍はめざましい。大酒呑みで酒癖が悪く、宴席での失態の数々。奇行も、また天才の証だ。

望月が『四時軒』の畳部屋に腰を下ろすと、開け放した縁から庭が見えた。

坂本龍馬が小楠と出会うシーンを思い浮かべる。

最初の出会いは一八六三年六月、まだ駆け出しの龍馬が福井に出向いた時だ。龍馬を送り込んだのは幕臣の勝海舟。福井への用向きは、松平春嶽から五〇〇〇両を受け取ることであった。名目は神戸海軍操練所設立資金だが、一橋派の活動資金だ。

龍馬は勝の手駒だ。龍馬が手紙で、「今日、日本の第一人者勝の弟子になった」と書いているとおりで、この頃からのつながりである。

横井小楠―勝海舟―坂本龍馬

当時、勝海舟の立場は海軍学校の校長だが、それは表向きだ。裏では、幕府の尊皇攘夷対策本部長的仕事もこなしている。むろんそれも装っているだけのふりだ。心は、もう幕府を見切っており、幕府内「隠れ南朝」のボス。

望月は講演でよく、勝の子供の頃の話をする。と、聴衆はその意外性にあっと驚く。

幼い時に、なんと一二代将軍徳川家慶《いえよし》の五男、初之丞《はつのじよう》の遊び相手に抜擢されているのだ。

どうしてそんなことになったのか？

それを追ってゆくと勝の曾祖父、おじいさんの父上に突き当たる。全盲だ。

それもただの盲人ではない。盲官の最高位、検校《けんぎょう》である。

江戸時代、当道座《とうどうざ》という盲人の自治的互助組織があった。強力な組合で、検校ともなれば将軍への面会も許されるほどだ。

金貸業で暴利をむさぼれたのも特権的許可があったからだが、どうして盲人に特権を与えられていたのか？

盲人には警戒心を解く。ましていつも呼ぶアンマならなおさらで、こうして作られたスパイ組は、市中くまなく張り巡らされていたのである。また周囲が見えない盲人は口が固く、変化を嫌うので、体制側としても安心、安全なのだ。

裕福な勝海舟の曾祖父は、長男に御家人《ごけにん》の株を買って与えた。

御家人となり、陽の当たる舞台に立ったのが祖父の三男、つまり勝の父だ。

三男は家は継げず、養子に出される。行った先が、勝家だ。

古参の幕臣の娘との間に勝海舟が生まれる。

将軍家慶とのコネは検校の曾祖父の時代に培《つちか》ったものだろうが、よほど目端《めはし》の利く子供だったと見え、勝は家慶の息子初之丞の、竹馬《ちくば》の友になっている。

これだけでもへえーという事実だが、次を言うと椅子から転げ落ちるほど驚く。

何を隠そう、初之丞は後の一橋慶昌《よしまさ》なのだ。

つまり幼少の頃から勝は完璧に一橋派だ。

負けん気の強い勝が一心不乱に一橋派の一員として暗躍した原点は、幼い頃で、何のためらいもなく邁進《まいしん》する勝。一橋の勢力が強まれば出世し、弱まれば失脚する。人生など浮き沈みの連続だ。

蘭学は早い時期から習っている。

二三歳の時、本所《ほんじょ》から赤坂《あかさか》に引っ越したのも、蘭学の師永井青崖《ながいせいがい》が赤坂にある福岡藩邸に住んでいたのが理由だ。

その縁で同じ赤坂の蘭学者、佐久間象山に弟子入りした。

名は体を表わす。象山は大柄の偉ぶった変わり者で、人の下す評価はぜんぜん気にしない。兵法や大砲だけではなく電気やガラス製造にも通じており、政治にも一家言を持っていた。

象山は吉田松陰を弟子にしている。坂本龍馬も妙な風貌の象山を訪ねており、なかなかの有名人で藤田東湖、横井小楠、吉田松陰……どんどん志士たちが寄ってくる。

象山は勝海舟の妹を嫁にするくらいだから、勝との因縁は深い。

象山の勧めもあって勝は、田町《たまち》に私塾を開く。

ペリーが来航し、及び腰になった幕府。急にしおらしくなって意見を広く求めた。

このタイミングを捉えた勝は、海防意見書を馴染みの一橋派の上層部に提出。ここから出世街道を歩みはじめる。

長崎海軍伝習所に入所。

蘭学に親しんできたので、すぐさまオランダ人教官のお気に入りとなり、なんと一八五五年から一八六〇年までの足掛け五年間を、長崎で過ごしている。

長崎は不思議なエリアだ。異国である。あっという間に人を呑み込み、根っこから変えてしまう力を持っている。

その長崎に、勝は五年もいた。

海軍伝習所メンバーの五代友厚（薩摩）、川村純義《かわむらすみよし》（薩摩、後の海軍大将）、榎本武揚《えのもとたけあき》（幕臣）はむろんのこと、グラバー、フルベッキ、それに出島を造った豪商小曾根英四郎《こそねえいしろう》と、勝の交際には見境がない。

小曾根は出島の開発者で、福井藩の有力出入り業者だ。ようするに福井藩主松平春嶽が、小曾根のスポンサーなのである。

さらに言えば福井藩は横浜外国人エリア「関内《かんない》」の守備も任されていた。

長崎出島と横浜関内、二つの外国と直結しており、外国のすごさをいち早く肌で理解していれば、いやでも開国派になる。

そんな縁で松平春嶽と勝は、小曾根を通じて親密になる。

さらに長崎の地で勝は、「拙者は、初之丞様の遊び友達でありまして……」とか何とか言って、薩摩藩主島津斉彬との知遇も得てしまうのだから、あっぱれだ。

品には欠けるが、外国人とみれば手当たりしだいだし、天性のものだろう社交性は際立っていて駆け引きは抜群だ。勝は海軍伝習所の五年間で四方八方、天下一品の人脈を得、幕末維新のキーマンすべてと顔見知りになっていた。

そうこうしているうちに海軍伝習所が幕府保守派に目を付けられる。閉鎖の後、勝は咸《かん》臨丸《りんまる》で渡米、その後、一八六二年幕府軍艦奉行に就任。電光石火のごとく薩摩、土佐の尊皇攘夷派を集め、神戸に海軍塾を造る。

神戸海軍操練所だ。

塾頭坂本龍馬、陸奥宗光《むつむねみつ》、伊東祐亨《いとうすけゆき》（薩摩藩、後の連合艦隊司令長官）など土佐藩、薩摩藩中心のメンバーだ。

しかし、ここで勝としたことが馬脚を現わす。

長州藩と公家三条が起こした朝廷クーデター『八月一八日の政変』に関与したとして、神戸海軍操練所閉鎖、解散を命じられるのである。

はっきりすぎるくらいにはっきりと、疑ぐられたのだ。

メンバーがごっそりと、長崎に移って造ったのが、有名な「亀山社中」だ。

現在、亀山社中跡として、長崎市亀山社中記念館なるものがオープンしているが、そこにあった証拠はない。

なぜ、あの場所を亀山社中に特定し、建物まで装っているのか、理解に苦しむ。

常識的に考えても、海運貿易会社が海から遠く離れた不便きわまりない山を登った場所にあるのは奇妙な話で、亀山社中のスポンサー小曾根の子孫が、海っぺりに建っていた小曾根邸の中にあった、とする話の方が正解だ。

亀山社中にカネを出したのは小曾根と薩摩の家老小松帯刀だ。商売のノウハウは、グラバーが教えている。

薩摩から金をもらい、グラバーから武器を買い、長州に渡したという、いわゆる亀山社中の三角貿易の種明かしは、この人脈で一目瞭然だ。

事実関係を追いやすくするために亀山社中に触れるが、亀山にあったから亀山社中と名乗ったのではない。だいいち「亀」と名が付く山がどこにあっただろう。後付けだ。

では、どこから拝借したものか？

ずばり亀山天皇だ。気張って言うが、これが望月の見解だ。

亀山天皇とは何者か？

記念すべき南朝の血統、第一号だ。

亀山が、実子の後宇多《ごうだ》に皇位を継がせようと京都は嵯峨の大覚寺に出家し、院政を敷いたことから大覚寺統と呼ばれているが、この天皇こそ元祖南朝なのだ。

亀山↓後宇多↓後《ご》二条《にじょう》↓後醍醐↓後村上↓長慶《ちょうけい》↓後亀山

亀山社中は頭のてっぺんから爪先まで南朝で、社中頭の龍馬がそうでないわけはない。

勝海舟の南朝色はどうか？

匂いは発散しているものの、もう一つ決め手に欠けていた。だが望月は、これ以上何もいらないという動かぬ証拠を見つけている。

おしゃべり勝、証拠はやはり『氷川清話』の中で告白していた。

第二次長州征伐講和会議時の回想部分だ。

亀山社中跡。「亀山」の由来は……。

正しい距離を保って見れば、この交渉シーンは奥が深い。

幕府の「長州征伐」と、いうのは口先だけの作戦だ。だいいち幕府を取り巻く情勢は悪過ぎる。大藩の非協力と士気の低下、初戦から敗北。〝暗殺〞と噂される将軍家茂の突然死……はなからやる気がないのに追い打ちの痛手続き、これ以上の戦は不可能だった。長州征伐を断念、将軍になる寸前の一橋慶喜は、勝海舟に停戦交渉を任せた。

一八六六年の秋のことである。舞台は広島、厳島《いつくしま》神社。

大坂にいた勝は講和地に赴き、桂小五郎の子分、広沢真臣《ひろさわさねおみ》（後の参議）、井上馨（後の参議）ら長州代表と会って、合意を結んだ。

後の西郷、勝の「江戸無血開城」談判を彷彿《ほうふつ》させる光景だが、勝の腹は、講和だけではない。覚悟を決め、心に秘めたる意思表示をしに来たのである。

むろんそのやり取りの詳細は外部に漏れていないが、自らぽろりと本心を明かしている。

〈差していった短刀を厳島神社に奉納した。これは護良親王《もりよししんのう》の御品であったと言い伝えられるのだが、俺の身体も今後どうなるか分からないから、かたがた宝物を安全に保存する策だと思って奉納したのだ〉（『氷川清話』）

この文をはじめて読んだ時、望月は護良親王という名前に、時間が一瞬止まった。

——なに！——

護良親王は後醍醐天皇の息子だ。亀山天皇が元祖南朝なら、後醍醐はその血を引く南朝天皇第一号、認定書付きである。

勝の家宝が南朝のシンボルなのだ。それをわざわざ講和の席へ持参した意味を考えれば、『氷川清話』で語っているように、家宝の保管場所を捜すためではない。

全権を託された講和に、家宝の保管場所を捜して、うろつく名代はおるまい。厳島神社にしても、勝家とは縁もゆかりもない。

神官は勝をどこの馬の骨か分からなかったので、奉納したいと頼んでも容易に受け取らなかったという。そこで一〇両の金子《きんす》を添えたら受け取ったと書かれている。

このくだりは、いったいどういうことなのか？

家宝の奉納を拒否されたら、無理に置く義理などないわけだから、ふざけるのもたいがいにせいと頭に来て持ち帰ってくるはずだ。ところが勝は、わざわざ一〇両、今のほぼ一〇〇万円というカネを添えてまでして納めている。不自然極まりない。

真相を暴けば、護良の短剣は「隠れ南朝」の証だ。それを長州で主導権を握っている「隠れ南朝」勢力に示した。それ以外にない。

〈談判といっても、わけもなくとっさの間にすんだのだ。まず俺は、よくこちらの赤心《せきしん》を開いて『自分の、はじめからの意見はかくかくであった。貴藩においても、今日の場合、兄弟喧嘩をしているべきではないということは御承知であろう』という趣旨を述べた。すると広沢もよく合点して、『尊慮《そんりょ》のあるところは、かねてより承知していました』などと言った〉(『氷川清話』)

時期を考えてみて欲しい。

一八六六年の秋である。

その一〇カ月ほど前に、何があったのか？

二月、坂本龍馬仲介の薩長連合の成立だ。

七月に幕府の第二次長州征伐開始。すでに長州と同盟を結んでいる薩摩は当然、出兵命令を拒否。

八月、将軍家茂の突然死、暗殺の噂がしきりに流れる中、恐くなった一橋慶喜は九月に征伐中止。で、この講和会談が一〇月である。

分かるだろうか？

薩長連合を斡旋したのは坂本龍馬であり、龍馬のバックは勝海舟だ。ようするに、幕臣の勝が薩長連合を斡旋したのだ。それだけでも高得点だが、その張本人が今度は幕府名代として直々停戦講和に出張っているのである。そして、将軍暗殺の下手人は幕府内部の犯行とみられている。

勝は薩長に完全に寝返っている。しかし、どこにスパイがいるか分からない時代、勝もそうやすやすと正体は現わせない。そこで、南朝ゆかりの短刀を示し、いささか存じよりの南朝話ふうに語りながら様子をうかがい、ついには「自分の、はじめからの意見はかくかくであった」と打ち明けたのである。

「隠れ南朝」を告白した瞬間だ。

すると広沢も「尊慮のあるところは、かねてより承知していました」と応じた。

広沢は前もって、勝が南朝を背負っている味方だということを知っていたのである。

講和の話し合いがあっけなく終わり、勝は尊南朝の証として護良の短剣を晴れやかに奉納し、己の気概を示した。

将軍家茂急死の五カ月後、孝明天皇が急死する。

これもむろん暗殺の噂が絶えず、今でも議論は続いているが、望月は噂どおり岩倉具視の手にかかったのだと思っている。

この世で一番確かなことは、どんな人間でも殺せるということだ。

南朝の証

南朝のお印をざっと並べる。

西郷隆盛＝南朝武将菊池家、楠木正成を祀る精忠組
大久保利通＝精忠組
横井小楠＝楠木正成の名前
吉田松陰＝藤田東湖、横井小楠訪問
桂小五郎＝松下村塾
伊藤博文＝松下村塾
勝海舟＝家宝、護良親王の短剣の奉納
江藤新平＝楠木正成を祀る義祭同盟
大隈重信＝義祭同盟
坂本龍馬＝勝海舟の弟子、横井小楠に心服、亀山社中
中岡慎太郎＝三条実美の警護役、陸援隊に南朝の守護神、十津川郷士を五〇名引き受けている（他に土佐一八名、水戸一四名）

眺めてみると、明治を造った「維新十傑」は南朝の揃い踏みで、維新の名を借りた「南朝革命」だ。

望月は微風に揺れる庭の木の葉を眺めた。

静寂の境地、小楠はここにこうして佇《たたず》み、歴史の大回転を練った。

龍馬は、ここを三度訪れている。最初は一八六四年、三月末。小楠に、カネを渡しに来たのだ。勝海舟の命によって長崎から派遣されていることを思えば、その金は、先の五〇〇〇両の中から出ているのではあるまいか。

龍馬訪問二度目は、その約一カ月後だ。小楠の甥、佐平太《さへいた》と大平《だいへい》を引き取りに来ている。兄弟二人を神戸海軍操練所に入れるのだが、半年たらずで閉鎖、その後長崎へ移りフルベッキの生徒になり、二人は、フルベッキ写真にきっちりと納まっている。

4

「二三人撮り」の真相

相棒

「先生！」

博多のホテル、広いロビーで声がかかった。夕刻である。チェック・インを済ませたところだった。

「あれ、まあ……学会か何かで？」

望月は眼を丸くした。とぼけたのではなく、本気でそう思った。

「来ちゃいました」

「来ちゃいましたって？」

「ですから、先生の助っ人です」

「えっ、でも、学校はどうしました？」

夏らしいショート・ヘアー。褐色のジャケットに、ユカにしては珍しいぴったりとしたジーンズ姿。スカートでなくとも可憐で、しとやかさが満ちている。だからといって凛《りん》とした気韻《きいん》もあって、決してひ弱には見えない。

「休暇ぐらいとれますぅ」

すねたように言った。

「先生、歓迎されてないように感じるのは、思い過ごしですよねえ」

望月は蝶ネクタイを触って否定した。

「いつでもユカさんは必要です」

反面、マッサージでも呼ぼうと意気込んでいた望月は、いささか気勢をそがれた気がしないでもない。

望月が腕時計に眼を落とした。五時少し前だった。

「ご予定がなければ夕食は、私が予約します」

いったん部屋に上がって、さっとシャワーを浴びる。さっぱりしないことには、何事もはじまらない。

石鹸の泡を体中につけながらふと思った。

一〇〇万人に一人の頭脳を持ちながら、世界に何の影響も与えない人間がいるものだ。そんなやつはただ生きているだけである。願わくは、この平凡な頭脳をもって領域を広げ、世間に役立つ何かを後世に残したい。

新しいシャツに着替えて下に降りると、五分遅れでユカが来た。飾らない素顔がいい。

「お待ちどおさま。いい部屋でした」

「そうでしょう。博多駅からも近いし、静かだし、だいたい従業員の教育が行き届いている」

望月は感心するように、物音一つしないロビーを見渡した。

「さてユカさん、旅に旨いものは欠かせません。今夜は期待していますよ」

創作料理屋、案内されたのは個室だった。怪しげな会話を気兼ねなく話すにはもってこいだ。

「ここにあれ、ありますか？」

グラスを摘《つま》んで呑む仕草をした。

ユカは、うれしそうに頷く。

「では、東郷平八郎から行きましょう」

「は〜い」

ユカが上機嫌でクリア・ファイルに挟まっている数枚の写真を取り出す。

「どれ」

若かりし東郷の写真が数点。望月が受け取って、持参したLED付きルーペで覗きはじめる。

明るい光に照らされた東郷平八郎。なかなか顔を上げない望月に、ユカがじれったそうに訊いた。

「どうですか？」

「いやぁ、なかなかの目利きです。ほぼ間違いありません」

望月はルーペから眼を離さない。

ユカが何かをしゃべった。写真に熱中していたので、聞き逃した。一拍遅れて言葉が耳の奥を通過し、輪郭のない言葉が脳に届いた。

「何に？」

「平八郎さんは、一六歳ころには済美館《せいびかん》に入塾しているんです」

「そう……」

また聞き流しそうになってから、ぎくりとなった。

「本当ですか」

望月は視線を上げた。

「平八郎が、あの済美館の生徒？」

済美館の前身は、「語学伝習所」だ。一八五八年にできている。

その後「長崎英語伝習所」、「洋学所」、「語学所」と名前を変え、一八六五年九月末、済美館に落ち着く。

語学伝習所→長崎英語伝習所→洋学所→語学所→済美館

落ち着きのない名称の変化。

監視がきつい時代だ。洋学とか語学では、攘夷派を刺激する。済美館と称すれば、書画《しょが》骨董《こっとう》屋みたいで目立たない。

名前一つにさえ、気を使わなければならない。スパイ国家の基本だ。

語学教師は不足していた。一人の教師が語学伝習所と、長崎海軍伝習所を受け持つのは普通だ。

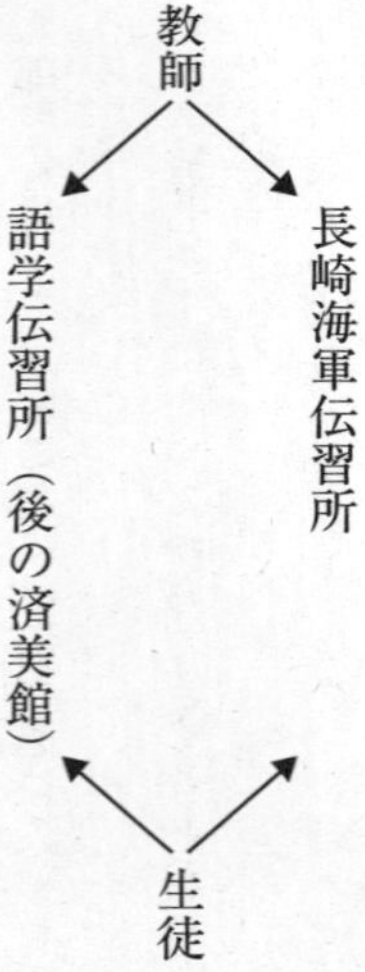

生徒もかなりダブっており、渾然《こんぜん》一体、いや、融合体といっても過言ではない。

宣教師フルベッキは、一八六四年七月からそんなスタイルで済美館の教師になっていた。

そろそろ喉が渇いたと思った時、タイミング良く呑み物が運ばれてきた。

話をいったん中断し、望月は神聖なる儀式に向かう。

シャンパン・クーラーを急ごしらえの祭壇に見立て、おもむろに蝶ネクタイを正す。イタリア製シャンパンに敬意を表し、イタリア語などからきし読めないくせに、まずは声を出してたどたどしくラベルを読んだ。

「アスティ……・ラ・セル……」

冷たい瓶《びん》の首を握って抜栓した後、シュン、シュンとグラスに注ぐ。

「では、西郷隆盛に！」

「東郷さんにも」

「あっユカさん、西郷と東郷、西東の郷ですね」

「まあ、ほんと、偶然に乾杯！」

日本酒は呑み過ぎると頭が重くなる。望月の場合、ワインも身体に残った。だがシャンパンだけは、むしろ頭の中がすっきりするから不思議だ。どこをどう刺激するのか、馥郁《ふくいく》たる味わいが脳の前頭前野に浸《し》み込む。エンドルフィンとセロトニンとのカクテルだ。

爽快になった脳が、ユカに問いかけた。

「どうして東郷平八郎の、済美館通いが分かったの？」

ユカは、目にうれしそうな光をたたえ、得意げに小首を傾げる。

「友達が、当時の名簿を小脇に抱えてやって来たのです」

「名簿って、古いもの？」

長崎海軍伝習所や済美館の名簿が存在した？　聞いたことがない。望月はもう一度グラスに口を付けた。

長崎海軍伝習所の生徒で分かっているのは、勝海舟、榎本武揚、五代友厚、川村純義のほんの一握りで、謎の学校である。佐賀藩は四八人という大量の生徒を送っているものの、その中で望月個人が特定できたのはわずか四人だ。

佐野常民《さのつねたみ》（日本赤十字社創立者、農商務大臣、伯爵）、真木安左衛門《まきやすざえもん》（海軍中将、貴族院議員）、中牟田倉之助《なかむたくらのすけ》（海軍中将、海軍機関学校校長、子爵）、田中久重《たなかひさしげ》（後の東芝、田中製造所創立者）。

多くの生徒は霧の中だが、いたのは確実だ。

薩摩藩の生徒にいたっては霧も霧、一寸先も見えない。

佐賀の卒業生をざっと眺めれば、明治政府の勝ち組で、いずれも社会的地位の高い御《ご》仁《じん》。それもこれも伝習所のコネだ。コネができればあっさりと夢が叶《かな》う時代だった。

しかし彼らが懐かしがって同窓会を開いた様子はなく、伝習所、済美館出身だと胸を張ることもない。

なぜ名乗らなかったのか？

「一三人撮り」の一人（左）は東郷平八郎だった！　イギリスの商船学校に留学していたころの東郷（右・一八七七年撮影）と比べてみてほしい。

人が秘密にする理由は、一つしかない。面倒を恐れるからだ。

その面倒とは何か？

望月は、明治政府のタブー『フルベッキ写真』だと睨《にら》んでいる。

察するに、明治天皇にすり替わる前、密かに済美館に入学し、フルベッキから英語と文明を習っていたからである。

『フルベッキ写真』だけはまずい。写真をたどれば、明治天皇、伝習所、済美館につながってゆく。面倒に巻き込まれるのを嫌ってみなが口を閉ざす。

シャンパン・グラスを片手に問うた。

「済美館の名簿を持っていたお友達は、何者ですか」

「大阪の大学で、英語講師をしている寿代《ひさよ》さん。フルベッキさんの大の研究家で、その彼女がいろいろ当たっているうちに……ええと……ここにあります」

ユカが、ショルダー・バッグを覗いた。

「はい、どうぞ」

現物のカラー・コピーだ。

表題は『英学生入門點《てん》名簿』となっている。

どこかの資料館に展示してあるらしく、そこには松田雅典《まつだがてん》の遺品と記されていた。松田は、当時の済美館の主事だと書いてある。寄贈は慶応元年だから一八六五年だ。まさに望月が、フルベッキ写真のシャッターが切られたと睨んでいる年である。

コピーを捲《めく》った。行書体の読みづらい筆書きだ。

「おや、おや、やはりこの子も……」

〈肥後　横井佐平太、大平〉

早々に横井小楠の甥の二人、大物を発見した。

一八六五年当時、佐平太二〇歳、大平一五歳だ。

仲の良い兄弟は、勉強好きだ。皮切りは江戸の蕃書調所《ばんしょしらべしょ》、二人は机を並べて英語を習っている。勘を働かせなくとも、身元引受人は勝海舟だ。その後、いったん熊本は叔父の横井小楠の許《もと》に戻ったのだが、坂本龍馬が、神戸海軍操練所に入れるべく再び二人を連れ出したのは、済美館に入る前年の一八六四年五月一一日である。

ところが肝心の神戸海軍操練所が、幕府に眼を付けられていた。

洋学のあるところ必ず倒幕派の巣となる。「八月一八日の政変」への関与もしかり、そう断じた幕府は、横井兄弟が入った半年後には操練所の閉鎖を命じている。

将来がなくなった生徒たちを、ど派手に匿《かくま》ったのは西郷を頭《かしら》とする薩摩藩尊南朝勢だ。長崎に集団移動、横井兄弟は長崎の済美館に入学する。

その後二人は、フルベッキの手引きにより米国に無事密入国をはたし、ニュージャージー州ラトガース大学に入学するのだが、問題のフルベッキ写真には、同じくラトガース大学に入学した大天才、日下部《くさかべ》太郎《たろう》が二人の隣にしっかりと写っている。

望月はページを捲った。

どれもこれも馴染みのない名前ばかりがずらりと並んでいる。偽名でなければ、こうはいかない。

と、ようやく知った名前が出てきた。

〈薩摩　東郷平八〉

「なるほど……」

望月が親しみの微笑みを浮かべ、独りごとのように呟く。

「かろうじて『郎』抜きの平八に変名しましたか……まあ、これでも少年平八郎の精一杯のかくれんぼなのでしょう、かわいいものです」

グラスを傾けながら、さらに次を追った。

「おや、これは……」

呆れたような声に、ユカが身体を浮かせて望月の手元を覗いた。

〈薩摩　白峰駿馬《しらみねしゅんめ》〉

白峰駿馬（一八四七～一九〇九）は、勝海舟の門下生だ。坂本龍馬とも親密どころの騒ぎではない。神戸海軍操練所からべったりだ。龍馬の片腕として共に長崎へ移動し、亀山社中、海援隊と行動を共にしている。

龍馬は、白峰を手元で飼っている。

好奇心旺盛な龍馬が、フルベッキと会っていないわけはない。

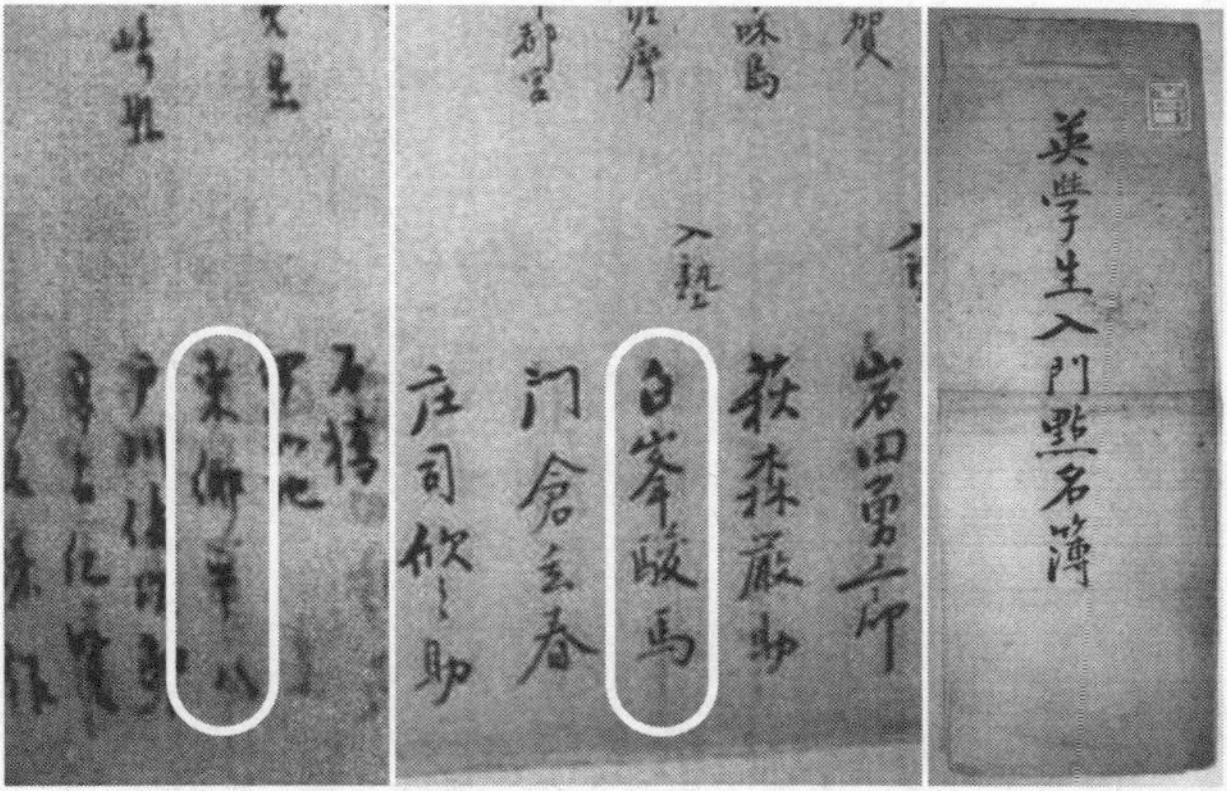

済美館の入塾者を記した「英学生入門點名簿」。写真の東郷平八(郎)、白峰(峯)駿馬の他、横井小楠の甥である佐平太と大平の名も、この名簿には記されている。

望月が呆れたのは、白峯は新潟の長岡《ながおか》藩なのに、薩摩と書かれていることだ。

「これは違います」

「さすが先生、よく気付きましたね」

この言い方にむっときた。よく気付いたなど、弟子が師匠に言うべき台詞ではない。が、シャンパンに免じて水に流す。いや、シャンパンに流す。

「ユカさん。白峯といえば長岡、パスタといえばトマト・ソースです」

妙なたとえを口にしたが、坂本龍馬の警護役として、白峯のとった行動は問題だ。

「龍馬暗殺に、白峯も関わっています」

白峯は、暗殺現場となった京都近江屋《おうみや》と眼と鼻の先の酢屋《すや》に逗留していた。しかし暗殺当時、どこでどうしていたのかぜんぜん守り切れていない。それでいて龍馬暗殺直後、これまたどこで聞いたのか、いち早く現場に駆けつけた唯一の海援隊隊員でもある。

もっと怪しいのは、その後まったく口と目を塞《ふさ》いでしまって、行方知れずになり、戊辰戦争時も何をしていたのやら不明のまま明治元年一一月三日、新政府が人手が足りなくて大変な時期に逃げるように日本を離れて、ラトガース大学に留学したことだ。

留学には莫大な金がかかる。今のおカネにして二〇〇〇万円強、明治動乱の最中、誰が出したのか？　沈黙の褒美という推測はどうだろう。

帰国までの六年間は、ほとぼりが冷めるにはちょうど頃合いだ。

この男を、みくびってはいけない。

同じ海援隊の陸奥宗光と同様、龍馬暗殺の真相を知っていたか、あるいは関与していて殺害現場偽装工作に加わっていたのかのどちらかではあるまいか。

暗殺後に駆け付けたのではなく、暗殺前からそこにいた。だから、あの最大のクライマックス武力革命時、裏切った海援隊からの血の制裁を恐れて、日本から逃げたのだろうという見立ては外れていない。

その後、明治政府とは一定の距離を置き、横浜、広島で造船所を設立している。

こうした知識の断片をユカに軽く披露した。

ユカが、うっとり聞き惚れているのは師匠の知識ではなく、シャンパンのせいかもしれないが、この際どちらでもよい。心地よく耳を傾けてくれているだけで、師匠としての面目が保てる。

「長岡藩の薩摩表記も、白峰のささやかな偽造です」

望月は、ついでに言った。

「ささやかな偽造は、時としてフルベッキ写真の紋付羽織まで及んでいます」

「偽家紋《にせ》ですか？」

「命懸けですから、そのくらいは。ひょっとして、ユカさんは古写真の嘘っぱち紋付を鵜呑みにしてるのではないでしょうね？　それを基に、氏素性を決めにかかっては連中の思う壺です」

名簿を数えてみると二四五名の名前のうち、知った名は横井兄弟、東郷平八郎、白峰駿馬のわずかに四名。残りは全員偽名と睨んだ。

コース料理が、ほどよい間隔で次々と運ばれてくる。

素材、ソース、味がほどよく絡み、シャンパンとの相性はいい。

料理を突つきながらユカが訊いた。

「先生は、どこかの資料館で『一三人撮り』を、ご覧になったんですよね」

「うん？」

はたと手を止め、つまんでいたカサゴを放した。

「すっかり忘れていました」

箸《はし》を置く。

「えーと、たしか……『宮之城史』のコピーがここに……」

望月は、隣の椅子に放っておいたバッグを引き寄せ、コピーを探り当てた。

「これ、これ、これが鹿児島での成果です」

ユカが、しげしげと見はじめた時に、ケータイが鳴った。知らない電話番号だったので、放っておく。

眼を上げると、真剣な表情のユカがいた。

望月がシャンパン・クーラーのボトルに手を伸ばす。発泡ワインを注ぐ音が静かな部屋に響いた。

「これを見てください」

望月が言った。

〈この時イギリスの商人、グラバーが通訳にあたった〉

グラバーが薩英戦争講和の通訳者なのだ。グラバー、薩摩、英国、この三者を眺めれば、幕末維新が透けて見える。

写真撮影時は元治元年の一二月、西暦でいえば一八六五年一月だ。

その前、薩英間になにがあったのか？

薩摩藩士がイギリス商人、リチャードソンを斬り殺した生麦《なまむぎ》事件。それが発端で薩英戦争が起こった。一八六三年七月のことだ。

一〇万ドルというイギリスへの賠償金が支払われ、リチャードソンの殺害犯を捜査する旨は、証書にして提出済みだ。ようするに一八六五年の一月の時点でぜんぶ終わって、とうの昔に決着している。それ以上何がある？

注目すべきはこの講和が、ごたごたがすべて決着した、ずっとずっと後に行なわれているという点だ。

状況を分析すると講和は名目で、他の案件だ。

「歴史を紐解《ひもと》けば」

望月は、歴史作家としての真髄を見せるように語った。

「この『一三人撮り』は、薩摩の大転換の決定的瞬間を活写したものです」

「……」

「薩摩がイギリスと手を結んだ、言ってみれば薩英秘密同盟の晴れ舞台に違いありません」

そう断定し、望月は重々しく頷いた。

コピーの表記によれば、一行は英国軍艦を訪問したとある。長崎港に着岸していたのだが、英国領事側の出席者は誰か？

アーネスト・サトウではあるまいか。そしてグラバー。

薩英秘密同盟の成立、すごい場面である。

望月は「一三人撮り」をじっくり眺めた。

漲《みなぎ》る緊張感、天下取りへの決意は生半可ではない。封印された歴史の一齣《ひとこま》を、覗き込んだ気になった。

その後、続々と薩摩に届く武器弾薬、軍船の数々。この時に発注すれば時期的に合致する。

そして英国留学。

一五名の留学生を人選し、慌ただしく出港したのはこの会談の三カ月後、四月一七日である。

つまり、薩摩、英国、グラバーは倒幕という同じ夢を見、革命時期のターゲットを三年後に定めた。それにぴたりと合わせ、軍船、武器、弾薬を用意し、革命後の日本を立て直し、文明開化を見据えて英国留学を計画した。

思惑どおりに事は進んだ。武力革命は成功し、帰国後、留学組はみな日本を造っている。

初代大阪商工会議所会頭となる五代友厚、後の文部大臣森有礼《もりありのり》、サッポロビールの生みの親の村橋久成《むらはしひさなり》、後の外務大臣寺島宗則《てらじまむねのり》、東大の前身開成《かいせい》学校の初代校長畠山義成《はたけやまよしなり》などなど、多士済々だ。

送り出しはグラバー、英国現地コーディネイターはグラバーの兄だ。

この大転換のきっかけは、やはり薩英戦争だ。英国は薩摩の街を焼き払っただけではなく、武士の自惚《うぬぼ》れと魂までも燃やしてしまったのだ。

戦争直後から五代友厚と、家老の小松帯刀は一刻も時間を無駄にしなかった。動きに動き、恐怖心に駆られている藩論をまとめ、憎っくき敵国だったはずの英国への歩み寄りに成功した。

それに応じた藩主が弟、島津久治を長崎に送って撮ったのがこの「一三人撮り」だ。

話し合ったのは武器、軍船購入以外にない。

「この会談の七カ月後の八月一五日、腰を抜かすほどのことが起こっています」

「何かしら……」

「西郷隆盛が、長州に便宜を」

薩摩名義で大量の武器を買い、そっくり長州に渡すことを承諾。薩長が激突した京都の「禁門の変」のわずか一年後だ。敵に武器を渡す。並の器で、できる仕事ではない。英国、グラバー、西郷隆盛、小松帯刀、坂本龍馬、桂小五郎のラインで進めた、太っ腹な芸当である。

『親英南朝革命』。

新しい時代の幕明けだ。

有名な薩長同盟はその半年後の出来事だ。したがって、別に龍馬が斡旋したわけではない。こういう前もっての地均《じなら》しがあって、パークス、徳川慶喜、勝海舟、つまり幕府内革命派の名代として龍馬が立ち会った、というのが真実だ。

だからこそ桂小五郎が、頼りにしたのである。

勝というバックがいなければ、根なし草のプータローみたいな龍馬など誰も相手にしない。

『宮之城史』の記述によれば、グラバーは「通訳」となっている。しかしたんなる通訳とは違う。

英国の民間工作員にして薩摩の武器軍事顧問だ。

それを人は金儲けだと貶《おとし》める。たんまりカネを稼いだのだろうと見下す。グラバーから見れば、心外でお門違いだ。

自分は男気を出して薩摩を、もっと言えば飢えと無法、未開の日本を助けたかっただけ

グラバーと東郷平八郎の絆の強さを示す一枚。一九〇五年（明治三八）に三菱・岩崎家の別邸で開かれたレセプションにて。

で、そうしたら予想外に儲かったのだ、とまじめな顔で答えるに違いない。

後に『グラバー史談』で、倒幕の最大の功労者は自分だと言い漏らしている。

商売絡みであっても、薩摩と英国を近づけ、武器つながりで薩長同盟の要にもなっている。英国絡み、武器絡みだったからこそ、薩摩と長州がくっついたのだ。

望月はかねてより、そう確信していたのだが、今回の『宮之城史』での登場で、改めてグラバーの黒幕ぶりを思い知らされることとなった。

「ふーん」

一三人撮りに見とれていた望月が、鼻を鳴らした。

「見飽きませんね」

何がですかという仕草で、ユカが小首を

傾げる。

「一六、七歳の若き東郷平八郎は長崎で英語を習っている。そこに藩から声がかかったのでしょう、英国との密談に顔を出しなさいと」

グラバーは鋭い。その鋭いグラバーが通訳とあっては、都合のよい言葉の小細工があるやもしれず、油断がならない。ごまかされないためにも、藩は自前の英語吟味《ぎんみ》役が必要だった。

そこで済美館の平八郎を起用した。

武士はみな情報部員、工作部員だ。平八郎も秘密御用を拝受し、済美館に潜入して逐一報告を上げている。

以前より見通しが良くなってきた。

と同時に酔いが少しまわっている。

ユカは、手に持ったグラスの底から立ち上る泡を眺めている。

そういえば和服姿のユカを見ていないなと思った。さぞ、雅《みやび》であるに違いない。

顔を上げたユカと眼が合った。眩しそうな瞳で微笑み、所在なげにテーブルに置いてある「一三人撮り」のコピーをすくい取った。

しばらく眺めて、ぽつりと語った。

川村純義（右）。薩摩藩士で、明治政府では帝国海軍軍人として枢要な地位に就いた大物も「一三人撮り」の中にいた（左）。

「この人ですが……」

指先でコピー上に円を描いた。

「川村純義（一八三六～一九〇四）だと思います」

力まない物言いで、想定外のことを口にした。

「川村純義？」

「ええ」

「海軍の？」

こくりと頷く。

川村は大日本帝国海軍ナンバー２《ツー》、死んでから海軍大将に昇進した変わり種だ。

「絶対にそう」

口調に、少し酔った色合いが含まれている。

「ほんとかねえ」

望月は自分のｉＰａｄをいじった。画面

に川村の老年顔が出た。食い入るように眺めざるをえなかった。それくらい似ていたのだ。ユカの見立てを、弾《はじ》き返すだけの要素がない。

　別の顔を捜した。さらにもっと老年の川村が出てきたが、輪郭、額の角度、顎のライン……同一人物に見える。

「う～ん、まいりました」

「でしょう？」

「そっくりというか、本人に限りなく近い」

「先生、古写真鑑定委員会として東郷平八郎に続き、川村純義を認定しましょう」

「少し、時間をください」

　相手は大物である。まだ気持ちが馴染んでいなかった。

「素面《しらふ》の時に、改めてやり直すのはどうですか」

「時間の無駄だと思います」

　酔っているのか、ユカが冗談めかして譲らなかった。

「全会一致で認定したいと思います」

「ふーん」

　と語尾を下げどっちつかずの鼻を鳴らすと、ユカが都合よく解釈し、やった！　と言ってグラスを掲げた。

「このところ、ユカさんにはやられっ放しです」

望月はiPadを置き、頭の後ろで腕を組んだ。

宴もたけなわといった時、ケータイの点滅が眼に入った。

留守録の通知だ。気になって、ほろ酔いの耳を当てた。

「おい、よく聴かんか、英雄気取り」

ガツンと乱暴な言葉が耳を打った。

「これが最後だ。連れの女をやるけん」

望月の心臓が飛び上がった。もう一度落ち着いて留守録を再生した。

「警察に、連絡した方が良さそうです」

食事会を手仕舞った。


不安が高止まりしたままの二人は、万が一を考えて望月の部屋に入った。

言葉だけの脅しだからといって、はね除《の》けるわけにはいかない。一応警官に来てもらったが、「連れの女をやるけん」だけでは、何を「やる」のかが不明で、脅迫にならないと言った。

公務員の対応としては、しごくまっとうな意見で、それはそうなのだが、一応、行間を読んで欲しいと頼んでみた。

「そう言われても……」

相手は役人である。猟犬と違って、危険の匂いだけでは一ミリも動かない。予防措置が、もっとも苦手な組織なのだ。気を付けてください、という一言を残して二人の警官が帰った。

一〇分後に電話が鳴った。今度は携帯ではなく、部屋の電話だ。不審以外の何ものでもない。酔いの回った心臓に負荷がぐっとかかった。

ユカと二、三度視線をかわし、息苦しく頷き合ってから受話器を取った。

「もしもし」

ほっとした。奥田だった。

「どうして、ここのホテルが分かったのです？」

不思議な思いが口を突いた。

「張り付いていますから、そのくらいは重々承知です」

下のロビーにも、仲間が見張っていると言った。

「動きが、いよいよ活発です」

「さっき、脅迫されましたよ」

「ええ、知っております。我々も非常時に備えて、やりいい人数に増やすことにしました」

心強いことを言った。

「敵は南梟団ですか？」

「そうです。でも心配しないでください」

〈沈黙の抵抗〉は、南梟団の実態をほぼ摑みつつあると語った。

王政復古の直前に選抜され、基本的に世襲が義務だ。明治のどさくさに確保した資金がまだ潤沢にあると述べた。

メンバーは一〇人ていど。表と裏の仕事を二つ持っているが、裏専門の人数ははっきりしない。

「それ以上は詳しくは言えませんが、手出しはさせません」

「それは心強い。その言葉を信じて、安心して眠ることにします」

ユカに説明した。彼女は心細い横顔を見せ、自分で自分の肩を抱きしめた。

「先生、冷房きつくないですか」

室温を上げ、励ましてベッドに入ってもらった。

望月も、空いているもう一つのベッドに横になった。

標的が望月であるならまだしも、ユカだ。弱点を突かれている。

危険は自分が作り、彼女が犠牲になる。

た。

——まずい……——

最悪のパターンだ。狙われている以上、明日一人で東京に帰すわけにはいかないと思った。

東京までは、ずっと行動を共にする。それしかない。

ほどなく、ユカの寝息がかすかに聞こえてきた。アルコールが緊張を弛《ゆる》めたようだった。穏やかな寝息が夜のしじまに吸い込まれてゆく。それがメトロノームのように心地よく、望月も知らぬ間に眠りに落ちた。

黒革の手袋

朝の九時、ホテルにぴたりと着いたのは黒い車だった。中が見えないよう窓が黒いティント・ガラスになっている。

奥田が送った車だ。

乗ったとたんに発車した。運転手と助手席に一人。三〇代と四〇代か。

黒いサングラスを掛けた助手席の男は体格が逞《たくま》しく、身のこなしも機敏だ。見るからにその筋の専門家で、無駄口はきかない。

カー・ステレオから小さく、なつかしいジャズが流れていた。

車が明るい道路に出た。とたんに、ホテル脇に駐まっていた二台の車が慌てふためいたように急発進した。

「あん車《くるま》ですね」

案の定といったふうに、助手席の男が太い声で言った。

「襲ってくる気ですか？」

「そげんだろうね」

無機質に答える。

「敵は七、八人いたようですが……」

こっちは望月を含め、男が三人。相手はどんな武器を持っているかも知れず、丸腰の望月とユカは戦力外だ。襲われたらひとたまりもない。

「地元のヤクザですか？」

「最近、シノギがきつくなってますけん」

「怖い」

ユカが怯えた。

「ちなみに、僕の命の値段はいくらくらいなんでしょうね」

「一億円……」

内通者がいるかのように、断定した。

自分が南梟団に与えているダメージを考えれば、値段の低さに納得がいかない。随分と安く見積もられたものである。

——そんなものかね——

望月は、妙なところで面白くなくなった。

二台の車は、ぴたりと後ろについている。

直線の大通り、前方に信号が見えた。まだ青だというのに、望月の乗った車がスピードを落とした。

「青ですよ」

思わず口を突いた。運転手はかまわずスピードを落とす。何を考えているのか、後部座席にいて落ち着かない。

つんのめるように、ぴたっと止まった。まだ青だ。

ジャズが大きく聞こえた。と、停止を読めなかった後ろの車が、けたたましいブレーキの音を立て、望月の乗った車の尻に付けたかと思うと、ドアがばんと開いた。四つのドアから、ぬっと出る人の足が見えた。

その瞬間、望月の乗った車のエンジンが唸った。

信号が赤に変わったタイミングだ。耳をつんざくタイヤの音。加速がきつい。身体がシートに押しつけられたまま、猛然と交差点に突進してゆく。

クラクション、横からスタートしてきた車の鼻先をぎりぎりでかすめる。ユカがキャーと言ったか言わないかの間に、車は交差点を猛スピードですり抜けていた。さらにぐんぐん加速し、細い路地に二つ三つ入った。

「いやはや、驚きました」

「アクション映画、そのままですな」

「……」

ほっとして望月が、しゃべった。

「天満宮《てんまんぐう》には、ここからどのくらいで？」

「用心して少し迂回《うかい》しますが、三〇分もあれば大丈夫ですけん」

車は人気《ひとけ》のない道を走り、林道の死角に入ったところで停まった。

いい思いは、ここまでだった。

助手席の男が素早く降りて、後部座席のドアを開けた。

「出てこんか！」

「……」

起こったことが分からなかった。

口調から何から、がらりと変わっている。望月の眼には、黒い手袋に握られたピストルが映っていた。

望月は幾度か死にかけ、たいがいのことには慣れっこになっているつもりだ。脅迫にも百戦錬磨だ。だが、この時ばかりは度肝《どぎも》を抜かれた。混乱の極み、何がどうなればこうなるのか、皆目見当もつかなかった。

ただただ激しく、心臓が肋骨の下で暴れている。

一拍遅れて正体に気付いた。

こいつらが殺し屋で、さっきの二台が善人の車だったのだ。

ピストル男の、兇暴な形相がすべてを語っていた。

「きさん、はよ出てこんか。中じゃ、車が血で汚れろうが」

「話せば分かります」

「黙っとけ、こら。ぶちくらすぞ」

「いやいや、おたく、たった今、車が汚れると言ったばかりですよ」

自分でも、何を言っているのか分からなかった。ジャズが流れ、ユカは背後で息を潜めている。飛び道具はまずい。

「はよ、片付けんかい」

運転席から男が命じた。

外の男が苛立《いらだ》って、はよ出てこんかいと怒鳴ると、左手で望月の襟《えり》をむんずと摑んだ。

引きずり出そうという魂胆だ。

「待ってください」

と言いつつも、ピストルに眼が釘付けになっていた望月は、銃口が天井を向いた一瞬を見過ごさなかった。

ぐいと両手が拳銃を摑んだ。そんなつもりではなかったのだが反射的、本能的というやつで、自分の手ではなかった。

後悔がさっとよぎった。ピストルへの抵抗など凍り付く瞬間だったが、ただちに打ち消す。後は神だのみだ。がむしゃらに、両手で敵の手首を捩《ねじ》り上げた。

銃声が耳をつんざく。弾丸は衝撃波とともに天井をぶち抜いた。左耳がキーンと鳴っているが、かまってはいられない。男の太い声が、反対の耳に聴こえた。

「き・さ・ん」

パンチが一発、二発と望月の顔に当たった。

しかし敵の身体が前のめりで、しかも望月が右手首をがっちりと決めているので踏ん張りが利かない、猫パンチだ。

昔から寝技は得意だ。望月は、満身の力で捻った。手首がグリッと不自然に折れ曲がり、ピストルがぽろりと落ちた。

「痛《い》てて……」

かまわず手首に噛みついた。

男の金切り声が上がった。わめくのも道理だ。望月の顎は、黒革の手袋の下、骨の異変を感じている。

小指の肉が裂け、指の骨が折れたのだ。

老いぼれるにはまだ早い。歯には自信がある。入れ歯はむろんのこと、一本の差し歯もない。

拳銃は、すでに座席に転がっている。

望月は、思い切り男の腹を蹴飛ばした。みぞおちに革靴の踵《かかと》が入った男は、見事に外に飛ばされ、もんどりうって倒れた。がたいは見掛け倒しだ。鍛え方が甘い。

望月の頭部に、衝撃を受けたのはその時だった。側頭部を運転手がシート越しに殴ったのだが、それも大した効き目はなかった。意外にも運転手の顔がドスッという音と共に横振れした。

ユカの、バレーボール仕込みのスパイクを鼻にくらった瞬間だった。

ユカの手には携帯が握られていた。もろにヒットしたのだからたまらない。運転手の顔はざっくりと切れ、みるみる鮮血に染まってゆく。まったくもってひどい形相だ。

「やりやがったな」

「先生、逃げて！」

ユカが、向こうのドアから弾けるように飛び出た。怒り狂った運転手も、人間離れした勢いでドアから出た。爆発のタックルは獲物を倒した。

望月も、どたばたと車を出る。

路上で揉み合っていた二人が、ぴたりと動きを止めた。男がユカの首に、腕を巻き付けた瞬間だった。

望月は、拳銃を構えた。

「なんばしょっとか！」

男が怒鳴った。気迫を込めるも何も、望月は目眩《めまい》がするほど息が上がっている。構えた手が天地に大きく揺れていた。

「放しなさい」

「きさんこそ、銃ば捨てんか。女の首の骨へし折ろうが」

血だらけの顔で、言った。

「そう、構えなさんな」

拳銃をしゃくり上げる。

「撃てるのか、ど素人が。撃てると思うなら頑張ってみろ」

「ど素人でもないです」

呼吸の合間にしゃべる。

「アメリカで、一万発は練習してますから」

運転手が、ユカを引きずり上げるように立ち上がった。意外にでかい。

背後から、腕をユカの首にしっかり巻き付けている。絞っているのが分かる。ユカが苦しそうだ。男は己の優位性を誇示するように、獲物を左右に揺らした。

裂けた鼻から滝のように流れる血、金無垢《きんむく》のロレックスが手首に光っている。

この男は格闘技を知っている。本気で絞められたら、言うとおり首が折れるだろう。秒殺だ。

盾になったユカが邪魔で、撃つなど論外だ。

嚙まれて深手を負った男は、まだ無様に唸っている。指と手首も折れているはずだ。

──当分、そこで転がっていろ──

こんなひどい取っ組み合いなど、おそらくは四〇年以上も前の柔道の試合が最後だ。

望月の肺は新鮮な酸素を求め、両手がブルブルと震えていた。

空気が重い。南国の空気は熱く湿っているのか、何もかもが重くのしかかっていた。かろうじてピストルを構え、やっとの思いで立っている。

鳥の鳴き声が聞こえた。言葉に思えた。究極の知的生命体が、望月に語りかけているような気もした。

──君に手を貸してやろう……──

身体は重かったが、心は冷静だった。

異常緊張時、考える暇は何もない、と、ものの本に書いてあったが、嘘だ。

思考は肉体を離れて存在する。この時、はっきりとそう思った。

絶体絶命、血が沸騰《ふっとう》していても、頭だけはちゃんと働いていた。不思議な現象だが、信じられないのは、こんな経験がない人間だけだ。

銃口は、男の額に定まったままだ。

「何だ、何だ、この野郎。舐めたまねしやがって。俺が女を殺《や》らんと思っとっとか」

「恐い顔ですよ」

「莫迦にすっとか！　こっち来んな、下がれ、聞こえんとか、おい、聞こえとっとか！」

「耳は、まだしっかりしています」

この男は、金を浪費するタイプだが、莫迦ではない。

ユカを殺しても一銭の得もなく、捕まれば、未来はないことくらいちゃんと分かっている。ならばユカの首は安泰だ。事実、首をゆるめている。男をとりなす必要はない。ただ時を稼ぐだけだ。

「一二〇年前、電灯はなかった」

意味不明の話をした。

「テレビも六〇年前です。かつての私たちは無知でした。私も無知、あなたも無知、分からないでしょうが、私はあなたの味方です。死ぬのは簡単で、生きるのは辛《つら》い時代、そんな仕事でよくこれまで頑張ってきたものです……」

なんだかんだと話していると、ようやく、二台の車がやって来た。

「終わったようです」

望月は顎をしゃくった。男はちらりと眼をやり、あきらめた。

車が接近し、停まるか停まらないかで、ばらばらと人が飛び降りてきた。

〈沈黙の抵抗〉は、人垣を造るようにして二人の男を捕獲した。

「怪我は？」

望月が、立てないユカのそばにしゃがんだ。

首を横に振ったが、顔面は蒼白である。

「こんなことになって、面目ありません」

近付いてきた奥田が謝った。

「何度か、携帯に連絡したのですが……」

望月の携帯は、バッグに放り込んである。

「でもよく御無事で」

「奇跡的にこの勝利です。でもユカさんの活躍がなければ——」

座っていたユカが、横に崩れた。

救急車で搬送されたが、二人とも骨折はなく、掠《かす》り傷の三、四カ所ですんだ。

ユカは大事をとって、病院に泊めた。

むろん付き添った。

薬のおかげで、ユカはこんこんと眠った。回復には睡眠が一番だ。

夕方になって、もそもそと起き上がったので、食べたいものを訊いた。ちょっと考えてから、鰻《うなぎ》と答えた。

ユカとは気が合う。望月も食べたいと思っていたので、さっそく鰻重の出前を二つ頼み、ついでに蜂蜜紅茶、大福餅も手に入れた。

夜になって、より心を揺さぶられているのが分かった。寝返りを何度も繰り返す彼女に、薬を呑ませた。

翌朝、ユカの顔色に赤味が射していた。健康色である。

「とてもよく休みました。でも、少し寒いかしら」

病室の窓を開けた。

夏の風が舞い、冷えた部屋が微温《ぬる》んだ。

下を見おろすと敷地内いっぱいに松の木があふれている。青空にさわやかな松籟《しょうらい》の風、瞑想がしたくなった。

誘われるように庭に降りた。

これからどうしたらいいのか？　答えは、天に委《ゆだ》ねよ、だ。

瞼《まぶた》を閉じてユカの安全を願った後に、未知と既知の混在した瞬間を超越し、地上に存在しない場所に行った。

母なる宇宙の声が届いた。経験したことは宇宙のどこかに一つ、一つ記憶されている。知りたければこちらに来るがよいと言った。それに従って望月は宇宙に「一三人撮り」を捜しに出かけ、しばらくうろついたがどこにもたどり着けなかった。しかし、天満宮が出てきた。

日増しに高まっていた天満宮への予感は、瞑想でまた深くなった。

どうあっても行く。心が子供みたいに昂《たかぶ》りはじめている。

部屋に戻ってユカに告げると、自分も同行すると主張した。言い出したらきかない娘だ。

太宰府天満宮の謎

「グラバーは西南戦争のスポンサーだ。その証拠は太宰府天満宮に隠されている」

春日幸四郎の口走った謎の言葉。

謎というのは、重大な情報の何かが欠けているから謎なのだ。二人は、その欠片《かけら》を捜しに向かった。

〈沈黙の抵抗〉の車を、太宰府駅に付けてもらった。

賑やかに並ぶ門前の土産物屋。ささやかだが平和、ユカには少しでも気を紛らわせてもらいたい。

「巻き込んだね」

望月は申し訳なさそうに謝った。

「人生のリスクです。気にしないでください」

その一言がありがたかった。

「私は、どこにも行きたくありません」

いつになく思い詰めたように言った。

「押し退けられても、娘じゃないと言われても……」

心細いのだろう、この子には両親がいないのだ。返す言葉が見つからなかった。

しばらくセンチメンタルな気分で歩いた。

東京と違って蒸す暑さではないが、陽射しが強く、ユカは深い白い帽子で、顔にシェードを作っている。

奥田は、数歩先を歩いていた。汚名を返上すべく自らガードに加わっている。

まだ早朝のせいか、人通りはまばらで少し寂しい。奥田の仲間三人は、少し離れながら両脇と殿《しんがり》をかためていた。

ご当地名物、梅枝餅《うめがえもち》を買った。

みんなに分けたが、とりわけ、ユカの顔がほころんだのが、うれしかった。

望月のスタイルは、愛用のパナマ帽とサングラス、それにステッキだ。

護身用のステッキは、いわきで襲われたときに失くして以来、代用品のままだ。こちらは鉄仕込みのない木製で、軽さが心もとない。

「そもそも大宰府とは……」

望月は、ステッキをカツン、カツンと響かせながら話し始めた。

「かつて『西府《さいふ》』と呼ばれていました」

〈江戸を見たけりゃ、西府に来りゃれ、いずれ西府が江戸になる〉

と、さかんに謳《うた》われた場所だが、なぜここが江戸になるというのか？

九州の筑紫《ちくし》など、端っこだ。それが、首都になる。考えてみれば、へんてこな話だ。

辻褄が合わなければ、必ずそこに理由がある。そこをスルーしては並の人で、仕事をしたかったら、人とは違う見方をしろ、だ。

なぜ西府なのか？

時代を二〇〇〇年ほど巻き戻したところに答えはある。

話を広げるようだが、どうしても必要なので、しばしの間、時間をお貸し願いたいと望月がユカに言った。

邪馬壹国《やまいこく》。

「魏志倭人伝」による倭国の領域

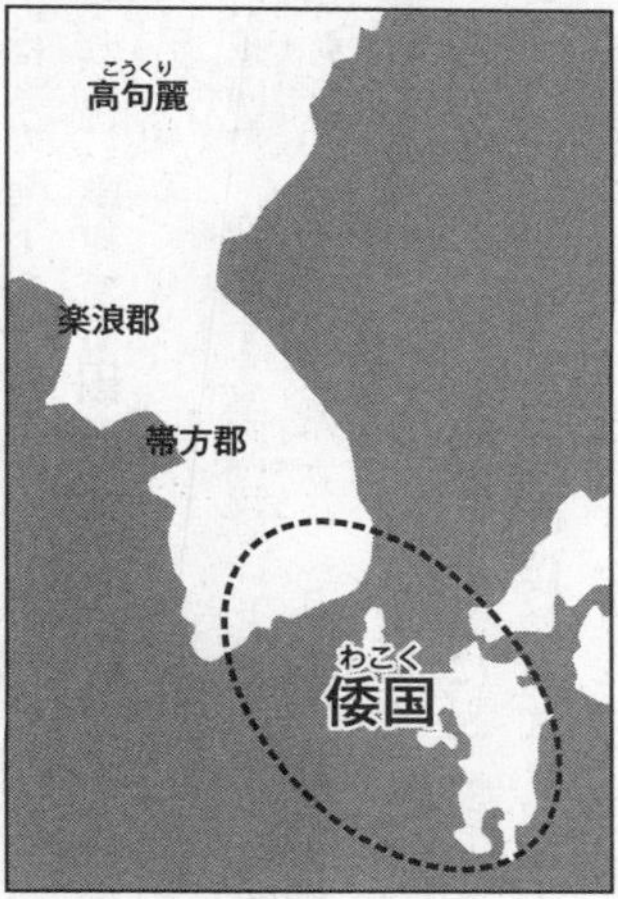

この国のガイドブックは『魏志倭人伝《ぎしわじんでん》』しかない。これまた読めば読むほど謎が増し、真実は定まらない。

それでもかつて、『魏志倭人伝』の筆者は倭人の住むエリアを「倭」、もしくは「倭国」と表現し、その中に複数の王がいて、各王の権益の及ぶ領域をまた「国」と称していたのは分かる。

その中の一つ、女王卑弥呼《ひみこ》が率いる邪馬

という男王だ。

壹国は魏の配下だ。約三〇の国をたばねている。

それらに敵対する国も記されている。狗奴国《くなこく》だ。こちらを治めているのは、卑弥弓呼《ひみくこ》という男王だ。

呉越同舟、敵対する両国は同じ倭の中に存在した。

卑弥呼が死んで男王が立ったが、倭国は手荒な内乱状態に入った。

そこで卑弥呼一族の娘で一三歳の壹與《いよ》を王にしたところ、何とか定まったとある。

二四八年から二六〇年までの間に起こったことだが、これは近畿の話ではない。

望月は、『魏志倭人伝』の倭の領域を、朝鮮半島南部から対馬《つしま》、壱岐《いき》を挟んで九州まで、と限定していて、本州は除かれている。したがって邪馬壹国は九州北部だ。

根拠は位置だ。

いつの時代も、富国強兵には外国とのつながりが欠かせない。その点、近畿は朝鮮半島からあまりにも遠く、文明の発達に欠かせない大陸の最新技術、最新武器の確保という点でかなり弱い。

分は九州にある。

世界屈指の強国、漢《かん》にぶら下がっていた「奴国《な》」が福岡にあったのは学問的に異論のないことで、時代が下って魏の子分「邪馬壹国連合」も、同じ九州北部にあった、というのが望月の持論だ。

そこで俄然浮上するのが、大宰府だ。

何と言っても大宰府は、ありえない規模の遺跡と、別名「都府楼《とふろう》」という気取った名前を持っている。

「楼」とは楼閣、高楼、鐘楼、つまり高い建物という意味だ。

それらを想像する時、望月の瞼には、ありとあらゆる塵《ちり》のような俗論が光の速さで取り除かれ、高い建物が立ち並ぶ「都」と仰《あお》がれ、「府」と呼ばれた古代都市が、くっきりと映し出されるのである。

輝ける倭王朝の都だ。

大陸では「魏」が滅び、「晋《しん》」が興る。

大陸の連鎖で朝鮮半島も大騒ぎだ。半島北部のモンゴル系高句麗《こうくり》が暴れて落ち着かず、半島中南部の倭人と共に親倭勢力がわっと逃げる。陸地から海へ。

逃げ渡った数は半端ではない。倭国への帰化定住が膨らんでゆく。

いつ鎧《よろい》兜《かぶと》の巨大軍団が海の彼方からぬっと姿を現わすともしれず、危険を察した倭王朝は大移動を開始、日本列島の懐も奥深く、近畿を目指す。

これが「神武東征《じんむとうせい》」と称される大移動だ。二七〇年前後だと目星を付けている。

進軍した北九州倭王朝軍は、戦闘力で地元勢力を圧倒した。

武器も違えば、長年他国を吸収合併してきたノウハウもある。近畿の中小勢力を一つ一つ潰しては、服従させてゆく。

急ピッチで都を築くが、常に大陸、半島には気を配っていなければならない。海を睨んだ外交と軍事、都を移したとはいえ、大宰府は重要拠点だ。


その後の朝鮮半島は、どうなっていったのか？

資料によれば、高句麗が幅を利かせていた時代は束の間で、北方にいた燕《えん》が、果敢に高句麗を攻めて丸都城《がんとじょう》を落としている。

その隙間を突いて、百済《くだら》が国を興す。

三〇〇年から三四〇年頃の出来事だが、百済は半島に定住している倭人勢力と深い関係があるというより、むしろ、倭人が力の根源ではないかと思っている。ようするに、あまりにも大倭《だいわ》朝廷と密接すぎるのだ。

半島の攻守は目まぐるしい。秩序などあったためしはない。

知るには、石碑に彫られた広開土王《こうかいどおう》碑文が役に立つ。

それを読めばこの時期、信じられないことに、倭は大軍をもって幾度も幾度も朝鮮半島深く侵入し、攻めまくっていることが分かる。

碑文からは傍若無人さが伝わっていて、まるで倭人の庭だ。

そのことから、倭軍は近畿や九州から行ったのではなく、あばれていたのは朝鮮南部が根城の倭兵だと睨んでいる。

倭軍は朝鮮半島の根っこまで達し、北部の雄、高句麗と再三再四、大戦争を繰り返しており、もし、そのつど近畿や九州から出撃していたとなると機動力と人間離れした驚異的なスタミナは信じられない。

やはり倭は半島に大勢力を持っていた、と考えるべきではないだろうか。

倭はしつこい。記録上、何だかんだと朝鮮半島で戦を仕掛けることほぼ二〇〇年間、激しい戦《いくさ》は四一〇年頃まで続いている。そこには、決してあきらめない倭の姿がある。

半島から手を引いた時、倭の中枢は、完璧に近畿だ。だが、大陸、半島が、年がら年中このあり様だったから九州大宰府は、重要な軍事拠点だったことには変わりはない。

怪しくなってきたのは六〇〇年代の中頃だ。

新羅《しらぎ》の台頭である。倭国の兄弟分百済が、新羅に圧迫されはじめたのだ。

恐れを知らぬ倭国は六六三年、水軍団を博多湾に結集した。近畿、北九州連合軍だ。

出陣の銅鑼《どら》が鳴る。

五日間の航海の後、半島内に陣どる倭軍と合流し、ついに白村江《はくそんこう》の河口に到達。しかしそこで待ち受けていたのは、新羅ではなかった。

なんと、唐《とう》王朝の大水軍だったのである。

壮絶な戦いの末、倭軍壊滅。

新羅が、急にのさばりはじめた理由は、どうやって取り込んだのか、唐王朝をバックに付けたことであった。

倭唐戦争。そして全滅。

倭軍の無謀な挑戦だが、古代史の中でも、ここがもっとも理解に苦しむ場面だ。

つまりその時、倭と唐は親しい。

ちょっと待って欲しいと思うかもしれない。しかし、それは本当で、白村江の戦いの三年も前から五度も、大金やら貢《みつ》ぎ物を持たせた遣唐使を送っているのだ。しかし一方では、きわめて壮絶な白村江の戦いをその最中に起こしている。

こっちでは遣唐使、あっちでは殺し合い。奇っ怪で、さっぱり分からない。

倭はこれで朝鮮半島の権益を一気に失ったばかりでなく、世界屈指の唐王朝を怒らせてしまった恐怖は、大宰府にまで及んだ。

唐の来襲に備えて上を下への大騒ぎだ。手持ちの人と銭を大宰府に掻き集め、長さ一・二キロメートル、幅八〇メートル、高さ一〇メートル超の長大な水堀の防壁を造って対抗している。

通称「水城《みずき》」。「都府楼」にふさわしい名である。

万全の備えが功を奏したのか、来襲はなかった。
しかし近畿倭国は、涼しい顔だ。言い訳なく遣唐使を送っているのである。

遣唐使派遣

一回　六三〇年
二回　六五三年
三回　六五四年
四回　六五九年
六六三年　白村江の戦い
六六四年　大宰府水城着工
五回　六六五年
六回　六六七年
七回　六六九年
八回　七〇二年
九回　七一七年

遣唐使を見る限り、唐との大海戦など想像できない。近畿倭国はマイペースで、間隔を乱すことなく平和な遣唐使を送っている。

一九回　八三八年

どうも妙だ。

しかし望月は、あることに気付いていた。

遣唐使を送っているのは近畿だ。一方、大宰府では唐の襲来に怯えている。

ひょっとしたら、近畿と九州は国が違うのではないだろうか？

たとえば、こういうのはどうか。

九州王朝が近畿に移動、後釜に座った軍閥がどんどん大きくなって独立国のようになり、広く朝鮮南部までを縄張りにしはじめた。

二つの倭人国だ。

一つが近畿であり、もう一つが九州。このころ近畿勢力は「大倭国」を名乗っている。

大倭国が近畿で、倭国が九州、二大勢力は対立していたとしたらどうだろう。

誰が名付けたのか「都府楼」という都を持つ倭国だ。そう考えれば、近畿は九州に対抗すべく新羅、唐と手を結び遣唐使を派遣した。

唐に負けた九州王朝は近畿王朝に、呑まれてゆく。

無心に聴いていたユカが、鳥居を潜《くぐ》ったところで質問した。

「菅原道真《すがわらのみちざね》さんが、遣唐使を停止したのですよね」

「はい。二〇〇年も続いた大切な慣例を突然やめてしまったのですから、そこには何か重大な原因がある」

「それも、左遷された理由の一つかしら」

道真は、九〇一年に京都から大宰府送りになっている。

「かもしれないね。菅公《かんこう》の先祖は九州倭国の偉いさんだったとかね。それはそれとして、菅公は」

望月は、菅原道真のことを菅公と言った。

「左大臣の次、右大臣です。いわばお国のナンバー2ですが、九州の大宰権帥《だざいのごんのそち》として追放」

「ナンバー1の藤原時平《ふじわらのときひら》と争って、道真さんが敗れたわけですよね」

望月が頷く。

「激しく争った上での左遷なら」

ユカがしゃべった。

「伊豆《いず》や隠岐《おき》の島流しが普通なのに、なぜか九州大宰府です。刑にしては軽いというか、位が高すぎませんか？」

当時の大宰府は地方を統括する役所だ。各地方に置かれていて、その権限は大きい。その中にあって、九州大宰府は、格上だ。事実、菅公は交易で重要なルートの対馬、壱岐、九州を統括するだけではなく、外務大臣も兼務した。

「こんな例があります。時代は違いますが、大宰府の重要性を知るいいエピソードなので話します。少々お耳を拝借、面倒がらずに聞いてくれますね？」

「はい」

九州に実在した南朝国家

時は南北朝時代。

北朝に追われた南朝は、後醍醐天皇の息子、懐良《かねなが》親王（一三二九〜一三八三）の話を語りはじめた。

懐良は、追撃をぎりぎりでかわしながら九州の土を踏む。そこで九州南朝の雄、菊池氏と共に大宰府を占領した。

三二歳になった懐良は、未来に前向きだ。そのまま腰を落ち着け、せっせと南朝国家再建に励む。

頭がよかったとみえ、対外戦略として大陸、明《みん》王朝に目を付けたのである。使者を送り、「我こそは日本の王である」と大宣伝。すっかり騙された明の太祖《たいそ》は、よし分かったと「日本国王懐良」の印を授けてしまったのである（一三六九）。はったりでも何でも、強国明王朝から正式に日本国王の称号を賜わったのだ。大変な鼻息である。

なぜなら日本の通貨、銅銭は飛鳥《あすか》時代から、チャイナの渡来銭が圧倒的に流通支配していたからだ。流通は江戸時代初期まで続いた。

大宰府は通貨を握った。明王朝の権威風を吹かせて、ますます南朝国家の基盤を築いてゆく。

一方冴《さ》えないのが将軍、足利義満だ。

いくらこっちが正統だと言っても、明王朝からは大宰府はどうした、と突っ込まれれば二の句が継げず、チャイナにしてみれば王位を争っているその他大勢の一人だろうと結論付けられる。貿易がしたけりゃ「懐良日本国王」の判子を持ってこいの一点張り、難儀なことである。

一三七三年、北朝勢が大宰府を攻略したのだが、しかし足利義満が襟を正して建文帝《けんぶんてい》から「日本国王」と認められるまで（一四〇四）、三〇年間以上も「懐良」の名前が必要だったのだから、あっちから見れば大宰府が日本の都だったのである。

「大宰府は、まるで独立国です。遣唐使と白村江の時もそうでしたが、近畿とはぜんぜん違う顔を持っている」

望月が続けた。

「なぜ菅公左遷の地が、ここだったのか？　この地に眠るそうした特殊な歴史、そして梅の木に、その答えが隠れている」

「梅ですか……」

ユカの眼が、あたりの梅の木を捜した。

梅

人通りは、まばらなままだ。

真夏の陽はさらに角度を増し、望月は帽子をかぶり直した。雅趣《がしゅ》に富んだ二つ目の太鼓橋を渡ったあたりで、話を菅原道真に絞った。

「時の天皇、宇多は菅公を重用し、頼ってもいました」

道真と宇多天皇、政治の二人三脚。

八九五年、道真は自分の長女を宇多の妾《めかけ》とし、その二年後には、別の娘を宇多の三男、斉世《ときよ》親王の妻に出した。血の合体だ。

互いが互いを必要とし、一心同体で他勢力を圧し、とりわけ権勢をふるっていた藤原氏を牽制した。

ところが同年、宇多は突然、長男醍醐に天皇の玉座を譲ってしまう。

男ざかりの三〇歳が、一二歳の子供に座を譲るというのは不自然きわまりない。

藤原時平の圧力だと言われているが、それもあるだろう。しかし宇多本人にも、聞かれて困るようなことがあったのではないか。

いずれにしても、この時の禅譲はさほど憂《うれ》うようなものではなく、宇多は完全失脚にはならず院政を敷いているし、醍醐天皇の下《もと》でも道真は昇進している。

ところが、話はわずか四年で急転直下、道真だけが左遷とあいなる。

理由は陰謀の発覚。朝廷ではありふれた噂話で、道真の野心だ。娘の夫、斉世親王を推して、醍醐から皇位簒奪《さんだつ》を謀《はか》ったというのである。即刻道真左遷。

話を聞き、びっくりした宇多が、左遷の理由を問いただそうと醍醐に会いに行くが、面会を拒絶。はい、そうですか、と親父が大人しく引き下がっている。

妙な展開だ。これはどういうことなのか？

本来ならそんな息子は勘当ものだ。たいがいにしろと言うところだが、宇多は怒ることもなく、すねることもなく、会えなかったの一言で終わり。その後は道真左遷のことなどなかったかのような雅《みやび》な暮らしぶりだ。

藤原氏の武力がすごすぎて、何も語れなかったのか、それとも、もっと不純な動機が別にあったのか？

すべては宇多の狂言回しで、力を持ちはじめた道真追い出しのための一芝居だったという見方もある。

ようするに、今にいたるまで万人が納得する理由がない。

大宰府左遷後わずか二年で道真が死去、事の真実は封印されたままだ。

「真相は闇の中ですが、一つだけ驚くべき記述が左遷時の資料にあります」

望月の話に、ユカが興味を示した。

〈（道真が）天皇の廃立をくわだてたのは、許しがたい〉

「えっ、廃帝って、すごくないですか？」

「……」

「だって天皇制廃止のクーデターということですよね」

ユカが、いささか興奮気味に言った。

「素直に読めばそうなります。しかし学者の解釈では違います。菅公はたんに醍醐を廃して、娘婿《むすめむこ》殿の斉世親王を天皇に立てようとした、という意味にとらえています」

天皇制廃止と天皇位簒奪とは、まったく意味が異なる。

状況から筋を読めば、道真は何かはわからないが、大変革をやらかしたのは間違いない。

望月は、独自の説をもう一度口にした。

「菅公の謎は、梅に込められています」

東風《こち》吹かば　匂いおこせよ　梅の花
　あるじなしとて　春な　忘れそ

有名な詩で道真の切なさを詠んでいる。そして一一歳の時の漢詩。

月の耀《かがや》くは晴れたる雪の如し
梅花は照れる星に似たり

憐れぶべし　金鏡の縛《かいろ》ぎて
　庭上に玉房の馨《かお》れることを

「菅公は少年時代から梅が好きだった？　いやそうではない、梅は自分の仲間、所属する勢力のことだと思っているのですよ」

このネタばらしに、ユカが理解できない、という顔をした。

「つまりだ」

望月が続けた。

「差し支えがある場合、そのものを花、鳥、動物に譬《たと》えて、歌を作るというのは当時の常套手段です」

「あっ、それなら分かります。松尾芭蕉《まつおばしよう》ですよね」

天才俳人、芭蕉の忍者説は昔からある。

芭蕉は、忍者の古里伊賀《いが》の男だ。地方を旅し、多くの俳句を残しているが、異常なまでの速足とこれまた尋常でない見聞域の広さから、徳川の隠密忍者ではなかったか、という説がある。

たとえば〈閑《しず》かさや岩にしみ入る蟬の声〉という句。

「岩」は、特定のA藩を示し、「蟬」はどこか別のB藩で、つまりA藩とB藩がしみいっている、通じている、という警告句ではないのか。

あるいは〈古池や蛙《かわず》飛び込む水の音〉はどうだろう？

「古い池」は、特定の河口を指し、そこから「蛙」どもが出陣する水の音が聞こえてくる。その可能性がある、という警告ではないかともとれる。

そういう見方で句をほじくると、違った世界がどんどんと広がる、と以前ユカに話したことがある。

「梅を考えてみてください」

梅を俎板《まないた》に載せた。

「もともと日本にあったわけではありません。出自はチャイナ」

白い帽子の庇《ひさし》に、長い指を添えるポーズでユカが応じた。

「梅を出自になぞらえるということは……えっ、先生、すると道真さんは渡来人ということですか？」

「驚くことはありません。厳密に言わなくとも、日本人には、みな渡り人の血が混ざってます」

「それはそうですけど、私のいう渡来人というのは——」

「はい、分かっていますよ」

肩を並べて、ほどよい歩調をとりながら続けた。

「古墳時代（二五〇～七〇〇頃）以降の渡来帰化人ということでしょう？　むろんその前も、その後も、渡来は尽きない。継続的にしろ断続的にしろ、ずっと続いており、当時の高貴な人間は、幾代か前を遡ればみな渡り人です」

ユカが納得した顔で頷く。

「朝廷のど真ん中で、権勢をほしいままに振るっていた菅公も、父母か、祖父母か、その また曾祖父母か……そう遠くない先祖が大陸の血を引いているのは当然です」

だからこそ、幼い時の詩で「梅花《ばいか》は、照れる星に似たり　憐れぶべし……」と同胞を、天に輝く星にたとえたのだ。

望月は、紫宸殿《ししんでん》の話をした。

天皇の公的な儀式が行なわれる建物だ。その紫宸殿の前には、左右に品よく桜と橘《たちばな》が植えられている。

左近《さこん》の桜、右近《うこん》の橘。有名である。

「先生、梅は？」

「そう、梅はない。おかしいと思うでしょう？　でも昔はちゃんとありました。桜は、かつて梅の木だったのですよ」

「へー、そうなんですか」

「梅を植えたのは桓武《かんむ》天皇（七三七〜八〇六）です。ご存じ、桓武の母上は百済人です」

気を利かせて警護の一人がペットボトルを買ってきた。

望月はそれを受けとり、思い切り中の水を呑んだ。脳が甦《よみがえ》った。

「桓武は左に梅を植え、右に橘を植えて敬意を表しています」

「では……梅とは？」

ユカの指がペット・ボトルの蓋を閉めている。

「菅原氏の勢力です。梅と言えば菅原氏、菅原氏と言えば梅です」

と言って付け加えた。

「菅原氏の職業は代々、土師《はじ》です。土師はたんなる埴輪《はにわ》職人ではありません。朝廷儀式のボスで、古墳造営や儀式道具製造など一切を仕切っており、古代政治には欠かせません。ものの本によれば、菅公の祖は出雲《いずも》からやってきた野見宿禰《のみのすくね》です」

「つまり……」

「渡り人です。どこから来たのかははっきりしていませんが、菅原と名乗るところをみると、おそらく漢王朝と縁《ゆかり》深い氏族だと思います」

「菅と漢だからですか？」

「ええ、語呂合わせみたいですが、古代は音写ですから、同音異文字で己の出身を名乗るのは普通でした」

「すると藤原は、藤《とう》だから唐ですか？」

ユカが冗談半分に訊いた。

「よく気付きました。今それを言おうとしていたところです」

望月が微笑む。

「そもそも大和朝廷の各部署を掌握した伴造《とものみやつこ》は、秦《はた》氏とか東漢《やまとのあや》氏などと名乗り、自分は秦の子孫だ、漢の子孫だと胸を張る帰化氏族で構成されています。ようするに、ブランドなのですよ」

渡来人はブランドだが、細分化されていて、さらなるブランドは秦と漢と唐だ。それ以外の渡り人は二流人、文字を知らない原住民は奴隷扱いとなる。

現代人でさえ白系外国人に弱いのだから、当時は推して知るべしだ。

倭国についてイメージの摑めない人は、初期のニューヨークを想像することだ。

リトル・イタリー、リトル・アイルランド、リトル・イングランド、リトル・ユダヤ、そしてチャイナ・タウン……さまざまな人種がしのぎを削って、各エリアに縄張りを持っていた。

アイルランドが一流なら、チャイナはゴミで、それでも先住インディアンよりはまだましだった。

大競り合い、小競り合いを続けながら、アメリカという国ができてゆく。倭国も同じだ。秦人、漢人、唐人、新羅人、百済人……。

桓武の親は漢人だ、ということを知らしめるためには「漢」を使いたかった。しかし「漢」の文字の使用権はない。最高級ブランド文字だから本家のチャイナが認めない。朝貢したとたんに、使節団は全員処刑となるかもしれず、したがって違うカン、だから「桓」を持ってきた、と望月は思っている。

桓武は、同じ漢人の菅原氏を重く用いた。

「先生」

ユカがペット・ボトルを手に訊いた。

「すると桓武は、世に言う流行病《はやりやまい》や、祟《たた》り、呪いは表向きの口実で、ほんとうは違う出身氏族が多くを占める平城京を嫌って、平安京に都を移したというのは考えられませんか？」

的を射た意見に、望月は目を細める。

「政権を奪取したB部族の王は、居心地の悪いA部族エリアから脱出したわけです。そのさい、違う部族だからと言えば、他民族を束《たば》ねづらい。したがって流行病や、祟りを利用した」

「伝染病や祟りだと騒げば、お尻に火が点いたように逃げますものね」

「そして桓武は平安京遷都後に紫宸殿を造り、左近に梅を植えました」

「なぜ左近なのかしら」

「紫宸殿の左に、国会がありました」

左大臣が右大臣より偉かった理由はそこにある。

「へー、では右近の橘は？」

「秦氏です」

「えっ、藤原さんではないのですか？」

好奇心が顔に表われる娘だ。大きな眼が愛くるしい。

「ええ、違います」

『天皇御記《ぎょき》』によれば、紫宸殿を秦河勝《はたのかわかつ》邸に見立てて橘を植えたとある。なお橘のルーツは大陸だが、野生のものは韓国済洲島と山口県の萩だけに現存する。

「秦は金蔓《かねづる》です。右近の橘で秦氏の財力を、左近の梅で菅原氏の頭脳を。桓武は二枚看板で勢力を誇示したのです」

左近＝梅＝菅原氏

右近＝橘＝秦氏

両者とも、言わずもがなの渡り人である。

「それでは、いつから梅の木を抜き、桜に改めたのですか？」

「仁明《にんみょう》天皇（八一〇〜八五〇）です」

「ということは、菅原さんが失脚して、桜の勢力が実権を握ったということですよね？」

「そのとおり。桜は日本古来の木ですから、今度は少なくとも、かなり古くにやって来た氏族だと推測できます」

「藤原ですか？」

「はて……」

望月は、ゆっくり歩きながらしゃべった。

『日本書紀』によれば藤原のルーツはきわめて古い。以前は中臣《なかとみ》氏といい、その前は壱岐氏だ。おそらく数世紀前に半島経由で対馬へ渡り、壱岐に定住した部族だろう。神武と称される九州王朝の王と共に、九州から近畿にやって来て、シナ大陸には唐が成立し、その唐をいただいて「藤」としたと思っている。

ある日、何かが起こって菅原一族が没落する。

紫宸殿から取り除かれた梅。道真は新しく植えられた桜を見ては唇を嚙みしめ、復権を試みる。ところが藤原時平という強敵に阻《はば》まれ、大宰府左遷となる。

道真は、最初から最後まで梅にこだわっている。梅、梅、梅……。残っている五一四の短歌や漢詩のうち、梅を主題にしたのは二四編。

東風吹かば　匂いおこせよ　梅の花
　あるじなしとて　春な　忘れそ

「例の風韻《ふういん》がよく、品格ある歌です。しかし、そのまま読めばかなりおかしい」

ユカは眼で訊ねた。

「梅など、主《あるじ》がいようがいまいが春になれば花が咲きます。春を忘れないで、匂いをおこしなさいなど梅にしたらお節介もいいとこで、菅公に言われなくたって春爛漫、梅の匂い全開です。それなのに、梅よ、僕がいなくたって決して春を忘れるでない。咲いて、匂いをおこしてくれ、と頼んでいる」

「そう言われれば……」

「しかしこの句を、梅という同胞への呼びかけだと謎解けば、すっきりします。自分は九州大宰府に左遷され、京の都を留守している。しかし同胞よ、どうかここにいる主のために、匂いをおこして一働きしてくれとね」

「あっ」

合点がいったように顔を上げた。

「謀反の呼び掛け……」

「そう思います。菅公の刑が甘かったのも梅勢力との力学です。重くすると、京に根を張っている梅が騒ぐからではありませんか？　だから、大宰府留め置き、という軽い沙汰で済ませた。これが僕の説です」

道真に帰国する兆しが見えたのか、喜ぶ歌も残っている。

謫居《たつきょ》春雪
城《あづち》に盈《み》ち郭《くるわ》に溢れて
幾ばくの梅花ぞ
なほしこれ風光の　早歳の華
〽雁の足に黏《ねやか》り将《ゐ》ては
帛《きぬ》を繋《か》けたるかと疑ふ
烏の頭に點《さ》し著きては
家に帰らむことを思ふ

「この時代、梅の木は希少で廓《くるわ》（城内）に満ち溢れることはありえません。それが満ち溢れているというのだから、同胞部族の勢力が城を埋めるほどになったという意味にもとれます」

「〽」は、中国の故事によく登場する記号だ。帰郷が可能になったことを知らせる吉兆の印である。

これを読み解けば、都で梅が勢力を盛り返し、帰京が可能になった情景が浮かんでくる。

都の梅の花が、むせ返るほどの匂いをおこしたのだ。

しかし、それは束の間の、道真の夢はかなわず、大宰府で息を引きとったのである。

望月は楼門の前でぴたりと足を止めた。ステッキを突き、まっすぐ前を見やった。ユカが、どうしたのという表情をした。

「楼門は結界です」

望月が、サングラスをずり上げ、知識の一端を披露した。

「結界の向こうには、穢れた者は入るべからず。手水舎《ちょうずや》で手を洗い、口を濯《すす》ぐ。本来ならば清潔な服に着替えていなければなりません。清めたことを『晴れる』といいますが、

『晴れ着』は、そこから来ています」

「わあ、先生すごい」

手ですくった水を、顔につけると、昨日殴られた箇所がひりひりした。

ステッキを突きながら楼門を潜り、本殿まで歩いた。

参拝し、頭を上げた望月が口を開いた。

「ユカさん、ほら梅ですよ」

名物、飛梅《とびうめ》である。

樹齢一〇〇〇年を超え、京都菅原邸からここに飛んで来たとされる梅だ。ちゃんと本殿の左近に植えられている。かつての紫宸殿と同じ位置だ。道真の死後、同胞がやって来て、ここを紫宸殿に見立てて植えたのだろうか、何とも意味深い梅である。冥土で悦《よろこ》ぶ道真の顔が浮かんだ。

「太宰府天満宮が、倒幕側に味方した因縁にはまことに根深いものがあります。卑弥呼あたりから菅公までをとうとうとなぞってみると、ぼんやりと見えて来ませんか？」

渡来人、都府楼、西府、天皇への謀反、南王朝……。

二人は来た道を折り返した。

よもや襲われることはないと思うが、望月はサングラスの奥から周辺に気を配った。緊迫した雰囲気はない。

ペット・ボトルの水を呑んで言った。

「そこでいよいよ、幕末です」

七卿落ちと西郷

望月は、「八月一八日の政変」を引き起した原因となるいわゆる「大和行幸」未遂から話しはじめた。

一八六三年に訪れたクライマックスである。孝明天皇を大和（奈良）まで移動させ、『攘夷親征』を宣言させるこの危険な陰謀は歴史上非常に重要で、幕府倒壊の一穴《いっけつ》だ。

むろん大和行幸は、孝明の本意ではない。すっかり力をつけた三条一派にむりやり攘夷親征を呑ませられたのだが、とにもかくにもこの計画を天皇自身が承認するという事態に陥った。

『攘夷親征』。

孝明の狂信的な外国嫌いを逆手にとった策略である。脅しでも何でも天皇のお墨付きを取ってしまえば、三条の勝ちだ。

計画には軍事が伴っている。なにせ御所をぐるりと取り囲んだ警備は長州藩の役目だ。

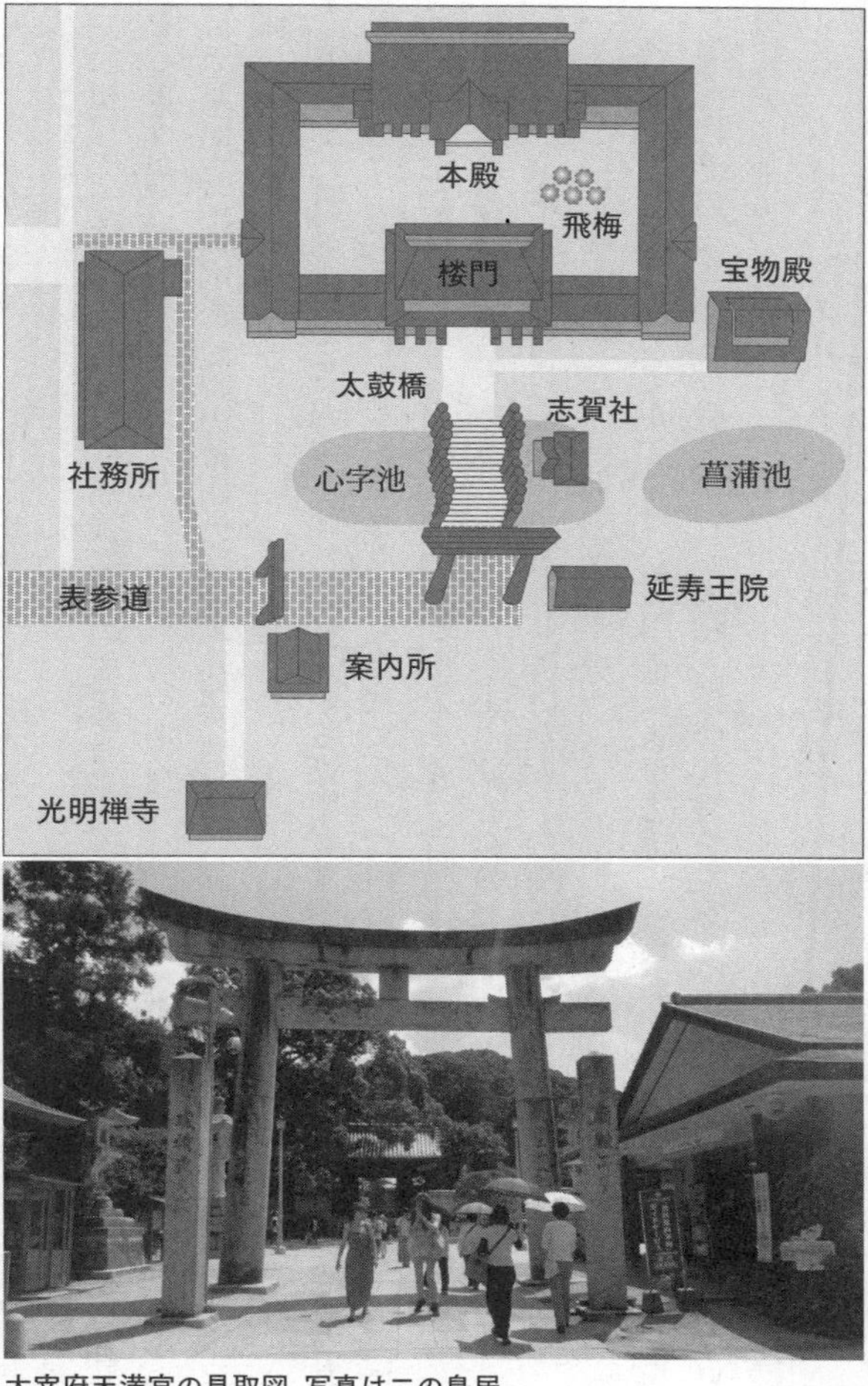

太宰府天満宮の見取図。写真は二の鳥居。

三条とつるんだ強盗に守らせているわけで孝明は夜も眠れない。そこに続々と増える長州兵。

「大和行幸」に呼応して、尊皇攘夷派の天誅組《てんちゆうぐみ》が、奈良吉野で決起する。どういう見方をしようが、孝明天皇の拉致及び武力革命である。

『天皇記』には、その時の孝明の恐怖が如実に述べられており、怖《おび》えた孝明は救出を会津、薩摩に求めたとある。

八月一八日、まだ一番鶏すら眠りこけている未明、孝明を救うべく会津、薩摩軍が動いた。軍事クーデターである。戦仕度《いくさじたく》の完全武装兵が御所のいたるところに踏み込んで反孝明一派、七卿と長州兵を京都から叩き出したのだ。

『八月一八日の政変』である。ここは日本史上肝心なので何度でも書く。

七人の公家は、長州兵二〇〇〇名と共に命からがら長州へ逃亡する。

これが「七卿落ち」だ。

京都での敗北を知ってか知らずか、事前に吉野方面に侵入していた天誅組は、計画を中止せずにそのまま軍事作戦を決行、大和五条の代官を殺して、大樹におおわれた奥深い吉野に立て籠もった。

この首謀者の一人が、あの真木和泉（保臣）だ。

「真木さんて」

ユカが口を挟んだ。

「楠木正成を信奉し、今楠公とよばれた福岡の久留米藩の藩士ですよね」

「そう、そして別の顔も持っています」

「ええ、たしか久留米の神主さんじゃなかったかしら」

「さすがは歴史の先生。水天宮の総本社、ここ天満宮とは天下御免の間柄で、しかも真木は」

望月は、パナマ帽子をかぶり直してユカを見た。

「西郷隆盛とも昵懇です」

ユカが小さく息を呑んだ。

「西郷の流刑先、沖永良部島と長い間のやりとりをしているのが真木。深い間柄でなければあんな遠くの離れ小島と連絡は取り合わない」

西郷は島流しに遭っている時でさえも、今楠公と言われた真木との格別なつながりを持っていた。望月は、あらためて西郷の確信的、南朝思想を再度確認した。

「七卿落ち」の翌年、長州は単独で朝廷奪還作戦を試みる。

「禁門の変」だが、あっさり敗れる。

真木は絶望して自分の腹を掻っ捌《さば》き、五二歳の生涯を終えるのだが、真木の存在が、七卿と西郷と天満宮の三者を結びつけた要因としては小さくない。

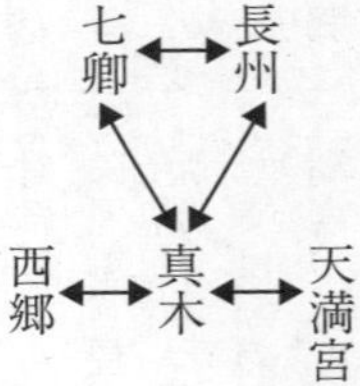

「真木さん可哀そう……あら、でも先生、おかしくないですか？」

「……」

「禁門の変で、大規模な攻撃を仕掛けて長州軍を打ち払ったのは薩摩軍ですよね」

「ええ、そうです」

「でも久留米藩の真木さんは長州側。西郷さんとは敵ということになりませんか？」

「本来ならそうなります。でも西郷の本心は別。長州へは親身で、大久保利通への手紙できっちりと述べています」

〈たとえ長州が暴発しても、薩摩は兵を出さない〉

とこういった手紙を二度、出している。

　沖永良部島から帰って来た西郷は、きわめて長州に同情的になっていたのは、南朝に平《ひれ》伏《ふ》す真木の影響が大きい。

そんなわけで西郷は、もっぱら皇居専守防衛に留めるよう、また、追撃を命じるだろう徳川慶喜側を拒否する手紙をあらかじめ大久保に書き送っていたのである。

「同じラーメンに醤油《しょうゆ》、味噌、塩があるように」

望月は、妙な喩《たと》えで語った。

「長州にも頭の堅い公武合体派もいれば、ジョーイ莫迦も、陰謀の尊南朝も、また銭に目がない開明派、いろいろいます。西郷は、それらを束ね、火消し防衛に徹した。もちろん気の重い仕事ですが、強く賢い侍です」

禁門の変の五日後、案の定、長州追討の朝命が出た。

幕府が孝明をせっついて出させている。諸藩は建て前賛成だが勝海舟はじめ開明派の幕臣がそっぽを向き、薩摩、土佐、福井……足並みはそろわない。

そうこうしている二カ月後、水面下で劇的な出会いがあった。

勝海舟、西郷会談だ。

勝が列藩同盟を説けば、西郷はたちまちにして目から鱗《うろこ》、よりはっきり物事が見えてしまったのだから長州征伐どころではない。逆に薩長連合の方が具体性を帯びはじめる。ずりっと歴史の活断層がずれた瞬間だ。

さらに一カ月後、幕府はあっと驚く男を長州討伐の現場責任者、つまり征長軍参謀に任命した。

なんと西郷である。

むろん策士、勝海舟の根回しがあってのことだ。勝の力がなければ、島流しの前科者がつけるポジションではない。

幕府の外にはターミネーターのような西郷。腹の中には、エイリアン勝海舟が巣作っている。

二人の力の根源は南朝復活。その二人ががっちりと手を結んだのだから、この時点で本気の長州征伐など、あろうはずはない。

西郷が、坂本龍馬の身柄を勝から預かったのもこの時だ。西郷は岩国に行き、長州とは一度も戦火を交《まじ》えることなく、処分を申し渡した。

「このころ撮った写真が例の一三人撮りです」

長州藩主は許す。腰の抜けるほどうれしかったはずである。お咎めは「禁門の変」を積極的に推進した家老三名の切腹。たったそれだけの結着だ。何のことはない、この三家老は尊南朝ではなく、単純な嫌朝廷派で、長州南勢にとってはかえって好都合である。

西郷が登場すれば、たちまちにして相手は気圧され、冒険を思いとどまる。

「その時、長州藩の五卿は三田尻《みたじり》の招賢閣《しょうけんかく》に匿《かくま》われていましたよね」

「五卿の処分も、西郷は任されている」

西郷に、どれほどの力があったのか？

幕府軍の代表として長州戦の停戦を仕切り、五卿の処理交渉も任されている。こうなれば、たんに薩摩の西郷というだけではなく、幕府軍の西郷である。

五卿処理で、西郷が手許で使っていたのは意外な侍、中岡慎太郎だ。

なぜ中岡か？

土佐藩士だからだ。

そう言われてもピンとこないだろうが、その根っこは一昔前にある。聞いて驚いてはいけない。

反孝明の急先鋒、三条実美は、土佐藩主山内豊策《とよかず》の孫。つまり土佐藩主の娘が、三条実美の母上なのだ。

土佐藩主と三条実美は親戚だったのである。

したがって早くから盛り上がった「土佐勤皇党」は「土佐＋三条実美」だ。三条とつながっていたからこそ一時、党首の武市半平太《たけちはんぺいた》という最下級郷土が、土佐藩内で盤石なる力を持てたのだ。

その縁で三条の警護、連絡役を仰せつかっていたのが、負けん気の強い中岡慎太郎だ。

思考の視点を変えれば、みな見えてくる。

（孫）

山内豊策→三条実美→武市半平太→中岡慎太郎

武市はかつて、土佐藩参政、吉《よし》田《だ》東洋《とうよう》にこう罵倒されている。

「婦女子のごとき公卿を相手に、何ごとができようか……」

三条との密着を皮肉ったのだ。中岡慎太郎は、武市の弟子だ。

こうした裏を暴けば、中岡が「一戦交えて死ね」と過激発言を繰り返し、三条実美、そして岩倉具視の身辺にいつも張り付いていた理由に納得するはずである。中岡は坂本龍馬と交わっていたが同志ではない。三条、岩倉に送り込まれた龍馬の監視役だ。

「五卿の、太宰府天満宮への移送というのは誰の発案ですか？」

「言いだしっぺは、判明していません」

望月がそう答えると、近くにいた男に聞こえたとみえ、眼を合わせてきた。

「差し出がましいようですが、それは何と言っても、当時の宮司さんですよ」

初老の紳士、見るからに温厚そうな学者タイプだ。白い半袖シャツで痩身を包み、小さなバック・パックを背負っている。

「大鳥《おおとり》居《い》信全《しんぜん》さんといいます」

「その方は？」

と望月。

「今の宮司さんの五代前で、三五代目座主《ざぬし》です。ここ天満宮の中興の祖と言われる偉大な別当《べっとう》ですが、三条実美とは又従兄弟《またいとこ》にあたりましてね」

唖然とした。三条と天満宮が、血でつながっている？　初耳だ。

「ちょっと待ってください。又従兄弟ですか……」

「ええ、そうです。そのご縁もありましょうなあ、五卿がここに来られたのは」

初老の男は振り返り、楼門を通して本殿を感慨深く見やった。

「お許しそうですね」

望月が水を向けた。

「おっとこれは失礼、地元の大学で教えておりました但馬《たじま》と言います」

滑舌《かつぜつ》が悪く、少し聞き取りにくい。

「今は、隠居の身ですが、専門は幕末維新でして」

「そうでしたか……」

望月は、帽子を取って自分の名前を名乗った。苗字だけだったせいか、危うい作家だとは気付かないようだった。

「五卿に関心がおありで？」

「ええ、今ちょうど、ここになぜ移されたかというところを話し合っておりまして、もしよろしければ、少々お聞かせ願えますか？」

「大した知識はありませんが……」

と謙遜しながら、まんざらでもなさそうだった。

「五卿の話ですな？」

「はい」

ではどこから話しましょうか……あっそうか、あそこから……と独り言を呟いた。

「禁門の変に敗れた長州藩は、親幕の保守派が盛り返しておりましたな。そうなると、匿《かくま》われていた五卿も、うかうか枕を高くして寝られないどころか、じわりじわりと、その締め付けといったらあなた、あべこべに身の危険を感じるほどでした」

「長州藩も、一枚岩ではないですものね」

と言ってユカが、ウィンクを寄越《よこ》した。ラーメンといっても醬油、味噌、塩がある。

「そうです、そうです。もはや長州は五卿の揺り籠《かご》ではありません。厳しい季節の到来ですよ。江戸へ送れという幕府からの矢の催促、それにつれ長州自体のあしらいも荒くなり、いよいよ辛抱できなくなる」

幕府は一つの案を出す。

五卿の九州移送だ。福岡藩（四七万石）、久留米藩（二一万石）、佐賀藩（三六万石）、熊

本藩（五四万石）、薩摩藩（七七万石）の九州五藩に一人ずつ引き受けさせ、頃合いを見計らって各藩がそれぞれ責任をもって江戸に送り届ける、というシナリオだ。

五卿は、うっかりそれに乗れない。

江戸に運ばれれば最後、ベルト・コンベアー式に幽閉され、そのうちに狂い死に、という最悪のパターンになりかねず、それだけは御免こうむりたい。

それに長州のこともある。親幕勢力は恐いが、ここから脱出したら脱出したでその後の長州がどうなるのか、後顧《こうこ》の憂《うれ》いが残る。

ようするに長州南朝勢だ。彼らにとって五卿はシンボルである。五卿が抜ければ、吉田松陰が立案した南朝天皇革命は旗を畳んだも同然だ。

しかしだからといって、このまま長居すれば、テロをくらうかもしれず、幕府だって、いつまでもだらだらと黙って手をこまねいているはずはない。

進退窮まった五卿に残された道はただ一つ。三条は脱出を決断した。

本人が決意しても面倒くさい時代だから、長州、幕府の同意が得られなければ、一ミリも動けない。気脈を通じている西郷、月形洗蔵《つきがたせんぞう》（福岡藩）、土方楠左衛門《ひじかたくすざえもん》（土佐藩）、中岡慎太郎らが四方八方根回しに飛び回った。無事終わり、ひとまずは下関、功山寺《こうざんじ》に移動した。

西郷と高杉晋作が、その場で会合を持つ。

薩長同盟の始動だ。

満を持して高杉が出撃する。

〈動けば雷電の如く、発すれば風雨の如し……〉

これは伊藤博文が高杉を評した言葉だ。高杉は、功山寺に伊藤博文らたった八十数名を集めて出撃、内ゲバ軍事クーデターを起こす。長州藩内に巣食う保守派掃除に向かったのである。

「あら功山寺には、五卿がまだいますね」

とユカ。

「はい」

待ってましたというように、但馬が上機嫌で頷く。

「その時、高杉は五卿に平伏し、『これより長州男児の腕前をお目にかけ申す』と言って出陣したエピソードは、今でも語り草です」

たちまち味方が決起して圧勝し、長州の藩論は、あっという間に倒幕で固まってしまった。

「ええと……あっ、すみません。私、まだ名前を言ってませんでした。桐山ユカと申します」

「はい、はい、何でしょう」

但馬が愛想よく答える。

「このとき高杉さんは、まだ二四歳くらいですよね」

「たしかに」

「常識的に言えば、たとえ名の通った高杉さんでも、まだ若武者《わかむしゃ》です。いくら何でも、あっという間に大勢が呼応し、決起したというのは、何かしっくりこないのですが」

「あっ、いい質問です。しかしバックに五卿がいると思えばどうです。話は別でしょう」

但馬は語尾を上げた。

「つまり、五卿が裏で糸を引いていたとか……」

とユカ。

「そうです、そうです、そのとおり。よくできました」

生徒に語るような口調で誉めた。

「学校の歴史では高杉が企画、立案し、出陣の前に三条に挨拶したと習いますが、その話はあべこべです。仕掛人は三条、すべてはあの男の主導です。この世は受け身で待っていてはだめだ。何ごとも積極的に打って出よ、そこもとの肩に長州は掛かっている、と三条に煽られ高杉が舞い上がった。しかもグラバーからは、西郷経由で新式銃を山と渡されます。ようするに、教科書では武器は長州本隊が買ったことになっていますが、そうじゃない。おそらく長州本隊は銃のことなど夢にも考えていなかった。薩摩がカネを出し、高杉の手に渡っていたというわけです。すべてはグラバー、西郷、功山寺に陣取る五卿との大いなる連係プレイ、そうでなければ、誰も従いませんよ」

「やはり、そういうことなのですね」

但馬のこけた頬に、愉快そうな皺が寄った。

高杉をけしかけたのは三条だった。はじめて聞く話だ。しかし、そう考えれば、突出した高杉人気も合点がいく。

「それから、どうなりますの?」

ユカが但馬の話に夢中になっている。望月は少し寂しい。

集結した倒幕の志士

「五卿の九州移住は決定済みです。少しは安心できましたが、その後がいけない。五卿が一人一人、バラバラに離れての別居というのは承服しかねる。西郷と幕府側との押し引きが繰り返され、ついに一八六五年春、とりあえず出る。中岡慎太郎、土方楠左衛門に守られた五卿の一行四十数名が、一年半ぶりに長州の地を離れます」

全員が天満宮に到着したのは三月だと言った。

「そこの延寿王院《えんじゅおういん》が、落ち着き先です」

但馬が指さした。天満宮の入口付近、先刻通過してきた参道傍《そば》の建物である。

望月は指でサングラスを額まで押し上げ、裸眼を向けた。ほどよい広さの敷地に、ほどよい大きさの家屋があった。

彼らにとっては五つ星ホテルだ。

「すばらしい、句がありますよね」

ユカが突然高杉晋作の有名な句を持ち出した。

〈おもしろき　こともなき世を　おもしろく〉

日々の暮らしに追われることもなく、餓えることもなく、何でも手に入ったから日常がつまらなくなり、「おもしろきこともなき世」などと、言っていられるのだ。

恵まれた上級武士らしい句で、物質的に豊かな現代人の、つまんないからゲームでもやろうか……という感覚に通じている。人間、何でもあれば目標が定まりにくい。食べて生きる、という本能以外の刺激を捜さなければならないからだ。

「その下の句を、野村望東尼《のむらぼうとうに》（一八〇六〜一八六七）さんが詠《うた》っています」

ユカの言葉に望月と但馬が同時に頷く。

福岡藩士の娘、野村望東尼は倒幕の母だ。

勤皇僧月照、高杉晋作、平野国臣《ひらのくにおみ》、中村円太《なかむらえんた》（福岡藩士）、月形洗蔵（福岡藩士、薩長同盟の起草文を考案）、早川養敬《はやかわようけい》（福岡藩医、中岡慎太郎と高杉晋作を西郷に紹介）……多くの志士に便宜を図って、流罪になっている。

〈すみなすものは　心なりけり〉（野村望東尼）

おもしろくないからおもしろく生きてやる、というやんちゃな高杉をそっと諫《いさ》め、何でも「心」次第なのよ、とやさしく諭《さと》している。下句は悟《さと》りの境地だ。

「表向きの野村望東尼さんは」

但馬が、もぐもぐとしゃべった。

「女流俳人ですが、倒幕派のレポ役を買って出て、ここの延寿王院にこっそりと出入りしています」

「ええ、とても活躍していますね」

とユカ。

「延寿王院に来たのは、望東尼だけではありません。記録によれば」

但馬が幕末を飾った、豪華な名をずらりと連ねた。

西郷隆盛（薩摩）、村田新八《むらたしんぱち》（薩摩）、大山巌（薩摩）、高杉晋作（長州）、桂小五郎（長州）、伊藤博文（長州）、中岡慎太郎（土佐）、田中光顕《たなかみつあき》（土佐）、土方久元《ひさもと》（楠左衛門。土佐）、佐々木高行《ささきたかゆき》（土佐）、江藤新平（佐賀）、月照、真木和泉（保臣《やすおみ》。久留米）、平野国臣（福岡）、みな倒幕派の中核、尊南朝、楠木正成を崇拝している。

そこに加わるグラバー。

ふと気付いたことがある。坂本龍馬が見えない。霞んでいるのだ。

そしてまた気付いた。集《つど》っていたのは、才気走った武力革命派の面々である。

龍馬は、勝海舟の子分、幕府の息がかかっている。他の面々から見ればスタイルがまったく違う。半端な公武合体の匂いがして、除外されていたのである。

「薩長同盟調印の舞台はあくまでも京都ですが、ここ延寿王院で下地はすっかり仕上がっておりました」

但馬が言うと、ユカが応じた。

「薩長同盟の震源地」

「マグニチュード三・四ですかな、薩長《サッチョン》同盟ですから」

「……」

センスの欠けたジョークから避難するように、望月は視線を空に向けた。

天満宮はアジトになっていた。

──頭の堅い孝明を廃して、計画通り、南朝天皇を立てる──

鮮明な図を描くとこうなる。

英国（グラバー、アーネスト・サトウ）……五卿
薩摩──長州──土佐
新天皇……フルベッキ

新天皇の誕生は、古くから行なわれていたことである。

最大の問題は、万世一系という足枷《あしかせ》だ。天皇が天皇である根拠は唯一、血脈。ならば偽ればよい。これまた神世の時代から行なわれていたことだ。

なぜこのような、正気とも思えない偽装脚色が日本に根づいたのか？

シナだ。

古代より、地政学的にシナの技術、武器、通貨、そして人材がなければ倭国の大王たりえなかった。属国ではないがシナのお墨付きは、何としても外せない条件だ。

「チャイナの子分になる」

ふと新参者の大王は考えた。

己が倒した前大王もシナに朝貢している。両者の関係は良好に保たれていた。したがって前大王をぶっ殺して政権を分捕《ぶんど》ったなどと言おうものなら、とんでもないことになる。口が裂けても言えない。ならば偽装するまでである。

そう、正当なる倭国王として認めさせる一番手っ取り早い方法が、子、兄弟、親族という血統だった。ライバルを押しやるには、血脈による禅譲が安定しているのである。

一方のシナも、倭国など遠すぎて分からない。実際、いろいろな連中が抜け駆けし、我こそは倭国大王だと使いを寄越すから、どれが本当なのかとてもじゃないが煩《わずら》わしい。

その点、親子、兄弟なら間違いなかろうということになる。

この方法でこれまですべてが丸く収まっていた。で、嘘でも何でも無理やりの血脈方式が定着した。

一度定着したら、後戻りはできない。大王はますます声高らかに「平和的禅譲」を叫び、この国では「万世一系」が欠くべからざる、むき出しの条件となってしまったのである。

それにしても古代のデタラメが、いまだに退治できないのだから、まともな国とはいえないと望月は思っている。

万世一系の「隠し玉」は、長州にいた。

北朝天皇から南朝天皇へすり替える。大事《おおごと》だが、うまくこなす他はない。

幸い朝廷は密閉されており、舞台変えなど知れたものだ。

全員が一致団結して同じマジックにとりかかる。かくして真実が消え、嘘が真となる。

「西郷の」

但馬のおっとりした口調が、望月の妄想を中断した。

「泊まった宿坊が、たしか参道脇に残っているはずです」

「西郷がここに長逗留した、主な理由は何でしょう？」

ユカが訊いた。

「目付の目が届かない安全地帯だったということもありましょうが、やはり五卿の置かれた立場は、深刻でした」

但馬は首筋の汗をハンカチで拭きながら続ける。

「江戸移送の空気は日増しに濃くなっていましてね。はて、どうしたものか、あなた、万策尽きれば切り札は、西郷しかいませんよ。西郷依存症。大きな身体で立ちはだかり、周囲に睨みを利かせる。これは私の考えですが、おそらく西郷は、一山当てたのだと思います。いえ、一山といっても、銭金ではありません。言うなれば不動の革命的思想というやつですが、これからどう動くか、三条実美たちと連日連夜談じ続け、具体的な維新への手順と青写真が形成されていったのだと考えています」

西郷は毎朝、本殿を参ったという話が残っている。自分は穢れている。己の身を神聖なる楼門の内に入れるわけにはいかない。結界の外に立ち、一歩も足を踏み入れなかったという。

まだ明けぬ早朝、手の平を器《うつわ》にし、そこに油を注ぐ。火を灯《とも》すと、切れ長の眼を静かに閉じた。

じりじりと焼け焦げる掌《たなごころ》。かまわず、一心不乱に祈る姿は仁王か鬼か、圧倒されて、周りの人間は誰も近づけなかった。

望月は、「一三人撮り」を思い出していた。

右端の男、西郷とおぼしき人物の放つ力は格別だ。

人心を射る鋭い視線、自信満々で精悍な顔は、たとえそれが写真であってもたじろぐほどだ。桁外れなカリスマを持ち合わせており、一度見たら生涯忘れることはできない。

撮影時期は、一八六五年一月。

これは不動だ。

そう、まさに西郷が天満宮に滞在していた時期とぴたりと符合する。

長崎までは一っ走り。やはり西郷はここから出て、写真に納まった。

現場にこうして足を延ばすと、空気や風景が望月に囁いてくる。嘘偽りのない物語が向こうから飛び込んでき、こうした直《じか》に話しかけてくる見聞旅行は、望月にとって欠かせないものだ。

歩きはじめるのを待って、但馬が五卿への締め付けがいよいよ強くなってきたと言った。

「幕府は、いくら長州をいじめても無駄だということに気付きます。倒幕の本丸は、長州ではなく、天満宮が匿っている面々だとね」

五卿の強さは、「隠し玉」だ。若き明治天皇、本名大室寅之祐《おおむろとらのすけ》である。

おそらく、一緒に天満宮にいた。

幕府は、五卿がおかしいと思いはじめる。スポット・ライトは三条に当たった。しかし「隠し玉」にはまだ気付かない。

まず福岡藩に圧力がかかった。

天満宮はおたくの領地だろう、だったら四の五の言わずにさっさと五卿を叩き出し、江戸に送還しろ、と指令を下したのである。

その一言に、福岡藩主、黒田長溥《くろだながひろ》は動揺した。

表で調子を合わせ、裏で謗《そし》るという芸当などできない小心者だ。お家大事、異議も唱えず、ただひたすら逆鱗に触れることを恐れた。

黒田は場当たり的に藩内の保守派とくっつき、攘夷派の粛清に踏み切った。

切腹、斬首、遠島は十数名に及び、その中には月形洗蔵と倒幕の母、野村望東尼も含まれている。幕府の機嫌をとった狭量君主の家来は、不幸の一言に尽きる。

「これで、お気に召すことと存じ候《そうろう》」

ところがそこまでだ。しょせんは小心者、黒田は大宰府を切れない。九州の雄、薩摩がバックにいては足がすくむ。

業《ごう》を煮《に》やした幕府は密偵を放った。

調べれば天満宮の三五代座主、大鳥居信全は三条の又従兄弟である。すでに隠居の身だが怪しい。嗣子《しし》に別当職を譲っていたのだが、それでも五卿とつるんでいると見た幕府は、田舎蟄居《ちっきょ》を命じた。

「幕府直々の目付」

但馬が眼鏡を整《なお》し、くぐもった声で言った。

「小林甚六郎《こばやしじんろくろう》が送り込まれたのもこの頃です。鎧鉢巻《よろい》の兵、数十名と共にやってきます。目的は五卿の江戸強制移送」

「いつ頃ですか？」

「一八六六年二月、薩長同盟成立直後」

但馬は、またハンカチで首筋をぬぐった。

「もっと言えば第二次長州征伐の寸前です。この処置は、いわば長州征伐の露払いのような沙汰です」

「……」

「しかしこの時も、三条の切り札は西郷でした」

「まぁ、頼りがいがある男性」

ユカが、はんなりと言う。

「西郷は部下の黒田清隆《きよたか》と大山綱良《つなよし》に命じ、一〇〇名近くの侍を天満宮に配置し、四門の大砲を据えて一歩も引かない」

「幕府目付に向かって、大した度胸ですな」

望月が感心した。

「禁門の変」で名を馳せた薩摩武士である。血なまぐさい戦には慣れていて、戦争中毒の侍だってうようよいる。対する目付の小林は、へなちょこだった。

田舎侍がなんぼのものじゃ、眼にもの見せてやると意気込みだけはよかったが、それも最初のうちだけで、天満宮の前まで来て、ごくりと生唾《なまつば》を呑み込んだ。

どでかい大砲、居並ぶ襷《たすき》掛けの侍。

形相がまたおっかない。ヤマアラシのような剛毛が顔をおおい、ぎょろりと動く黒碁石《くろごいし》のような眼球。聞きしに勝る隼人《はやと》顔だ。その手には、鑢《やすり》でギンギンに磨いた槍が握られている。

目的の延寿王院は、その危ない連中の背後にある。

小林はへっぴり腰で、面会を求めるべく近付くと、話す前に相手から怒鳴られた。

「おい、そこの」

がつんと物騒な手槍を地面に突く。

「この時分、空き巣狙いでごわすか？」

狂犬のような眼で、睨《ね》めつけてきた。今にも涎《よだれ》を垂らし、唸りを上げて喉笛に噛みつきそうである。

「返答いたせ」

芋焼酎の臭いがぷんぷんする。

小林の舌がもつれた。

「あの、あの、あああ……」

おたおたしていると、今度は黒田、大山という鬼のような侍が、逆に面会を求めてきた。

「不届き千万ありせば斬るでごわす」

えらい展開に、両脇どころか股間からも冷たいものがつーっと流れる。

ちょうどその頃、長州では戦乱絵巻《せんらんえまき》が繰り広げられようとしていた。幕府軍が包囲、ついに攻撃の火蓋が切って落とされたのである。

幕府軍といってもエイリアン勝海舟がそっぽを向き、どこかで一服やっているし、まして薩摩抜きだ。こうなっては飛車落ちみたいなもので、しかも飛車は、いつの間にか敵の方に付くかもしれないという。

戦意などあるわけはない。やる気のなさは戦う前から広まっていて、案の定、たちまちにして総崩れ、敗北につぐ敗北である。

そうこうしているうちに、目付、小林の許《もと》に五卿移送の中止の伝令が届いた。

梯子《はしご》を外された、などというものではない。

ただ中止というだけで、帰って来いという添書きもなく、役人お得意の先延ばしだ。どうしていいのか分からず、次の指示を待つ心細い最中の八月、風の便りに嘘か真か、将軍家茂死亡という話が伝わって来た。

端《はな》っから気持ちは萎《な》えていたが、これでぽきっと心が折れた。

かといって帰るに帰れず、破れかぶれになった小林は、えいっ、謝ってしまえとばかりに再度面会を求めた。

顔面蒼白で延寿王院に通された小林は、むろん丸腰。戦いもせずに、もはや捕虜の心境である。

畳に視線を落としたまま、消え入るような声でこう告げた。

「憚《はばか》りながら、みなさま方の朝廷復帰に、力を尽くす所存でございます」

武士姿の三条実美(中央)。向かって右隣は岩倉具視の三男、具経。『フルベッキ写真』と同じ場所で撮影。

「そういうことであるなら、心して聞きたもれ」

三条はいない。格下の下働きが、虫けらでも扱うような口調で答えた。

「京で幽閉難儀しておじゃる公家たちの手助けをするよう、しかと申しつけるぞよ」

「ははあー、仰《おお》せのままに」

べたっと平伏したという。

但馬先生の話は面白い。まるで講談を聞いているようである。

「情けないことに、長州というたかだか三七万石にあっさりと力負けしたものだから、江戸幕府の弱体が全国に知れ渡ってしまった。三条派はそりゃあ、あなたイケイケです。支持と称賛を勝ち取った長州。こうなればもう、長州を自分の護衛役くらいにしか思っていませんから、倒幕は絵に描いた餅ではない。いざ行かん！　三条はすっかりいい気分となり、中岡慎太郎などは五卿にピストルを配ったほどです」

公家とピストルはまったく似合わないが、やるときはやる。五卿の随行者から抜擢された一隊が、俄侍《にわか》に変装して長崎に出張し、洋式銃の訓練を全員受けたと言った。

「むろん長崎で待ち構え、手取り足取り銃扱いの指揮をとったのは黒幕グラバーです」

あっと思った。

望月先生シリーズ第一作『幕末 維新の暗号』で取り上げた謎の写真だ。三条実美と岩倉具視の息子、岩倉具経《ともつね》が納まった写真である。眼の鋭い、九人の侍が周りを囲んでいる。

撮影スタジオは奇《く》しくも、『フルベッキ写真』と同じ場所だ。

望月が引っ掛かっていたのは、三条の恰好だった。

公家ではなく武士なのだ。公家が武士の格好などありえないことである。

しかし但馬の言うとおり、軍事訓練の長崎出張ならば、侍の成りすましは当然で、シックリいくどころではない。長年の謎が解けた。

「お公家さんもなかなかやるものです。彼らは、長崎で三〇丁の鉄砲を購入しています」

「やはりそれも、グラバーさんでしょうね」

とユカ。

「一〇〇パーセント」

但馬は自分で言って、アハハハと高い声で笑った。何がおかしいのか、二人がきょとんとしているのが分かって、ばつが悪そうに手に持っていたハンカチで首を拭き、しかし暑いですな、とごまかす。

望月が木陰に誘った。

「もう少し、よろしいですか？」

「もちろんです」

「将軍家茂が、大坂城で頓死しましたが、どう思います？」

「ありゃ、ひどい話です。ただでさえ、屋台骨はぐらぐらのところにもってきて家茂が死に、その上あなた、なんと孝明天皇さえも、急に息を引きとってしまった。公と武が、いっぺんに逝ってしまったのだから公武合体は消滅です。終わりですよ」

二本柱の倒壊。あっという間に暗殺の噂が飛び交った。

八月に将軍家茂、その五カ月後に天皇。それぞれ二〇歳と三六歳である。

この若さ、このタイミングだ。くまなく調べなくともダブル暗殺を疑わない学者は、何と言ったらいいのだろう、福島原発でメルト・ダウンはないと言い張った御用学者と同様、ぼんくらのそこつ者だ。

疑問を持ったら裏から調べ、ひっくり返して考えて、自分の言葉で発言する。これが学者というものである。教科書に書いてある事柄をぼんやりと伝えるだけなら紙芝居のおじさん以下だ。

長州の殺し屋、伊藤博文が直接手を下したという噂はいまだに語り継がれている。

噂を疑うなら、伊藤博文をハルビンで暗殺した安重根《アンジュングン》の正式裁判記録を見よ。犯行動機の一四番目にこう記録されている。

〈一四、今を去る四二年前、現日本皇帝の御父君に当たらせらる御方を伊藤さんが失いました。そのことはみな韓国民が知っております〉

〈伊藤が暗殺した〉と発言したのだが、裁判記録には〈伊藤さんが失いました〉などと妙ちくりんな日本語に捏造《ねつぞう》されているが、この話は海を越えて広まっていた。

孝明の死を、三条はどういう思いで聴いたのだろうか。

己を追い出し、恐怖のどん底に追い落とした張本人である。命懸けの潜伏期間は、苦節四年と六カ月、孝明を呪わない日は一日としてなかった。

孝明がいなくなったからといって、すぐ戻れるわけではない。まだ情勢は混沌としていて京都に居場所はない。瓦礫の撤去、地均しが終わるまでのほぼ一年を、ここ天満宮で過した。

待ちに待った王政復古。

南朝の復活である。

一八六八年一月三日のことだ。天満宮を出たのはその九日後である。孝明亡き紫宸殿に、三条実美が意気揚々と入ったのは一月二一日。闇の中で新米の南朝天皇が玉座に座る。大手を広げて出迎えたのは岩倉具視その人だ。三条、岩倉の二人はひしと抱き合うが、急《せ》くように身体をがばっと離して、今後の基本事項を確認し合う。

「これからは我らが天下でおじゃる。南朝天皇の秘密は、互いの首にかけても守らせねばなりませぬ。ご一新は、あくまでも尊南朝ではなく、外向き尊皇で束ねなければ、国に迷いが生じますぞえ。そのためには仕掛けの色を見せることなく、宗教、儀式、法律、武力、噂話、総出であの子を国の天辺《てっぺん》に登らせ、万民を畏怖させる他に道はおじゃりません。たんと仕事がおじゃりまする、ああ忙し、忙し」

菅原道真の復帰は叶わなかったが、三条実美は天満宮から無事、朝廷に返り咲いたのである。

「ところで」

望月が切り出した。

「時が一〇年下って、西南戦争ですが」

但馬が鷹揚《おうよう》に頷く。頷くたびに、汗で眼鏡がずり落ちる。

「グラバーが、西郷のスポンサーだったという話があります」

驚いた様子もなく、またこくりと頷き、眼鏡を指で上げた。

「それでしたら、たしかな話です。グラバーは大量の西郷札《さいごうさつ》を買っておりましてね」

「西郷札ですか……」

天下分け目の西南戦争、戦費を稼ぐために薩摩軍が発行したのが、通称、西郷札と呼ばれる軍票だ。

薩摩軍が敗れれば紙屑である。勝つか負けるか、伸《の》るか反《そ》るかの大ギャンブルで、実際、大量に引き受けていた多くの商家が没落した。

「なぜ、目端の利くグラバーはサイの目を政府軍ではなく、低い勝率の薩摩軍に張ったのでしょう」

望月が疑問を口にした。

「そりゃあなた、プライドですよ」

但馬は喜んで答えた。知っている会話が楽しくてしかたがない、といったふうだ。

「つまりですね。三菱《みつびし》の岩崎弥太郎は政府、ようするに権力者、大久保利通に深く食い込んでいます。一方のグラバーは、大久保に近付けない。そんなわけで三年前の佐賀の乱の軍需物資は、岩崎に握られごっそりと持って行かれています」

「なるほど……大久保ですか……」

　望月はふと、大久保の人となりを思った。

伊藤博文が女狂いなら、井上馨は銭狂い、大久保は権力狂いだ。

「大久保は孤独の人です」

　望月が続けた。

「人を近づけず、とりわけ外国人となると、とんと苦手でした。ですから維新までは万事良好だったグラバーの立ち位置も、大久保の明治で落ち目です」

「そうです、そうです」

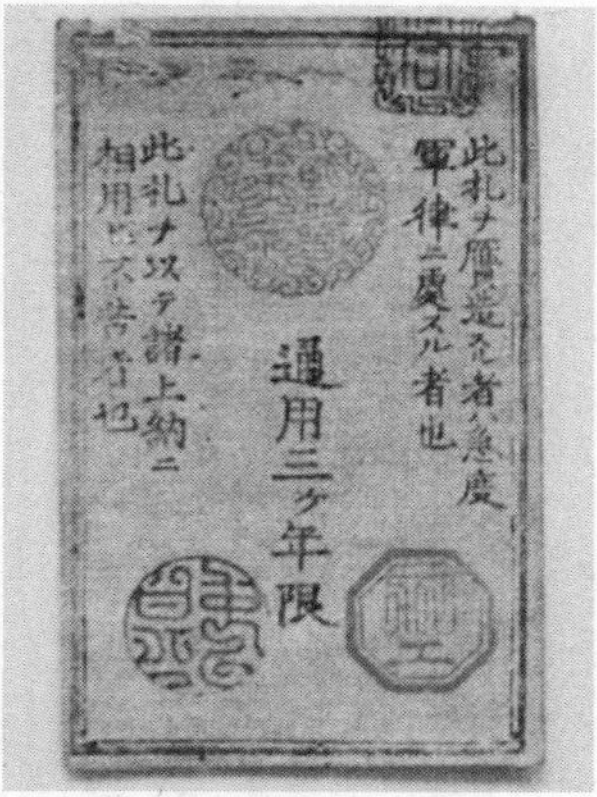

西南戦争の戦費調達のために発行された西郷札。グラバーはこれを大量に引き受けた。

　と言ってから但馬が、感心の顔で望月を見た。

「いやはや、あなた随分勉強なされていますなあ」

「お誉めにあずかって光栄です」

　と言って、付け足した。

「グラバーのラインは五代友厚（薩摩）、伊藤博文（長州）止まり——」

「だが、まだ二人は若い。軽量級ですから

なあ」

但馬は、張り合うように望月の話を奪った。

「大貫禄の大久保の前では、口もきけないほどです。当時は大久保の黄金時代で、大久保独裁政権と言っていい。グラバーはその壁をどうにも突破できない。腐れ大久保……、あっ失礼、ついグラバーが乗り移ってしまって……まあようするに、頭に血が上って幕末よもう一度と、起死回生の一手、西郷に賭けてしまったわけです」

グラバーにしてみれば岩崎弥太郎など鼻たれ小僧、商売を手ほどきしたのはこの俺なのだ。川下には立てない。あっちが半なら、こっちは丁だと俄然闘志を燃やしたのだと語った。

「面子です」

だがしかし、いろいろを調べ尽くしたが、西郷札でグラバーが大損したという資料はおろか、口伝、噂の類も出てきていない。ただ表沙汰になっていなかっただけなのかもしれないが、

「グラバーは、この後、ますます大久保政権に疎《うと》んじられ没落してゆく。地団太踏んで悔しがったのでしょうね」

望月が水を向けた。

「しかし、転んでもただでは起きませんよ」

「……」

「ここです」

と但馬が地面を指差す。

「天満宮です」

「天満宮がどうしましたか？」

「買い取ったというわけです」

「何を？」

「ですから、グラバーが抱えていた大量の不良軍票、西郷札です」

望月が、パナマ帽を被《かぶ》り直して但馬に向き直った。

「なぜ、天満宮が紙屑にカネなど？」

但馬は何も答えずにくるりと踵《きびす》を返した。無言のまま今来た道を、かってに本殿の方に戻り始める。

望月とユカは不思議そうに顔を見合わせ、遠ざかる黒いバック・パックに視線を移したが、止まる気配はないので、しかたなしに後を追った。

警護の四人も動いた。少し離れながら付いているので、但馬はまったく気付かない。

「天満宮が、グラバーから西郷札を買い取ったのは」

追い付いた時、但馬が切り出した。

「西郷にお世話になったからです」

「守ったからですね」

とユカ。

「あなた、そればかりではありませんよ」

といって、親し気にぽんとユカの背中を叩いた。

「他にどんな理由が？」

天満宮の歴史だと語った。

「歴史ですか？」

「はい、天満宮の来歴です」

来歴は望月も知っているが、言っている意味が分からなかった。

すると但馬は得意気な顔でニヤリと笑った。

「この地は最初、菅原道真の墓、つまりただの廟《びょう》でした」

それから寺を建て、天原山安楽寺《てんげんざんあんらくじ》と名乗ったと語った。

「墓から安楽寺、寺です」

望月とユカがへーと同時に声を上げ、それがどうして神社にと、これまた同時に口をそろえた。

「明治の廃仏毀釈《はいぶつきしやく》ですよ」

一八六八年四月五日の「神仏分離令」が発端だ。

天皇は、日本国の神の化身である。よって外来の仏教を認めることはまかりならん。これまでの社会システムを破壊するには、システムに溶け込んでいる宗教を取り除かなければならない。

『廃仏毀釈』力ずくで仏を廃し、釈（僧侶）を毀《こわ》す。新生日本は仏教を排し、神道一本にするという方針のもと、寺や仏像の没収、廃止、破壊に精を出したのである。

西郷、大久保の出身地薩摩では、範を示すうえにも徹底した。

一六一六という数の寺院を潰し、無体にも血の涙を流して還俗《げんぞく》した僧侶は約三〇〇〇人の数にのぼった。

生身の人間を神にしてしまったのだから、神をも恐れぬ所業だが、妙なことに国民はあっさりと転向してしまった。

坊主から神主への衣《ころも》更えも、宗教哲学的にはめちゃくちゃな話なのだが、残酷な宗教弾圧だという記憶が薄いのは、寺の住職が命懸けで抵抗し、焼身自殺したとか、一揆を起こしたという記録に、お目にかかっていないからだ。

これが欧米、中東なら内乱になっている。

「ここは安楽寺という寺でした」

但馬が念を押した。

「廃仏毀釈の大津波。しかし困難は克服するためにある。そこでまたぞろ特効薬は西郷です。鬼に金棒、秩序に従って寺を神社に変身させたのです。『太宰府神社』となりました」

菅原道真廟→安楽寺→太宰府神社→天満宮

太宰府天満宮は、過去四度変身しているのだ。

「社格が上がって『天満宮』となったのは戦後の昭和二二年です」

西郷は天満宮を幕府から守り、明治政府から守った。

二度にわたって、助けたのである。恩義を感じなければ罰が当たる。損を承知で西郷札を引き受けた理屈は、ここにあると言った。

「すでにお金持ちになっていたのでしょう。金額は分かりませんが、相手はグラバーですから相当の言い値だったと思います。むろん内緒です。西郷を助けたなんてことが、明治政府に知れたらあなた、どんなお咎めがあるか分かったものではありませんからね」

天満宮は、西郷への恩義を忘れなかった。人情紙のごとしの世にあっては、心に染みる話である。

「さあ、これが証拠ですよ」

と但馬が、立ち止まった。

太宰府天満宮の麒麟像(右)と、グラバーが売り出したビールのラベルの麒麟(左上)は、なぜそっくりなのか？　その後、デザインは現在のように変更された(左下)。
左写真2点／共同通信

きょとんとした顔で、ユカが但馬を見た。

「これですよ」

眼の前の真っ黒な像を指さす。

馬のようだが立派な髭《ひげ》がある。馬とは違う動物だが、かといって鹿でもない。

「麒麟《きりん》です」

「麒麟」

ユカが鸚鵡《おうむ》返しに言った。

〈世に聖人が現われる時、天から麒麟が降りてくる〉

チャイナの故事にちなんでの像だ。

「この像は一八五三年の二月に置かれたものです」

「わあー、まだ江戸時代ですね。じゃ、西

郷さんも他の志士たちも、みんなこうして手で触って……」

「ええ、ええ、そうですとも」

調子よく応じた。

「グラバーは、何度もやってきてはこの像を欲しがりましてね」

「へえ、グラバーさんが……」

ユカが意外だというふうに反応した。

「これをくれとゴネたそうです。天満宮がやんわり断わると、よほど気に入ったのでしょうグラバーは、ならばレプリカを造ると言って帰って行ったといいます」

「分かりました」

望月にはぴんときた。

「ほらユカさん、グラバーの、横浜のジャパン・ブルワリーですよ」

一八八五年だ。今のキリンビールである。

「初代のビールのラベル・マークは、この麒麟と瓜二つです」

感慨深げに麒麟の首をさすっているうちに、望月は立派な髭のグラバーと、もう一人の立派な髭に気付いた。

——まさか……——

望月は、ぞくっと怖気をふるった。

頭に浮かんだのは、麒麟ビールのラベルだ。麒麟が大きな日章を背にしている。

朝日とその前に佇む髭の人物。そんな人間は、一人しか認められない。

明治天皇、その人だ。

グラバーは、明治天皇を麒麟に見立てたのではあるまいか。

天皇のメタファー、隠喩だ。


〈……麒麟が天から舞い降りる〉


維新後、グラバーは徐々に中央政府から疎んじられ、面白くない日々を過ごしていた。

ぶちキレたグラバーは、この像を目にして思い付いたのである。そしてメッセージを送った。

「私を軽んずるべからず。私はすべてを知っている。しっかりと歴史を見届けている一人だ」

北朝天皇は継承されず、南朝天皇が突然、麒麟のように天から舞い降りた。その、天から舞い降りた天皇を、ビールのラベルに刻み込んだ。

「明治政府よ、何なら刺し違えてもいい。いつでも受けて立つ」

だからグラバーはこの麒麟の像を欲しがり、それがかなわないと見るやレプリカまで造り、あまつさえキリンビールのラベルにまで織り込んでいったのではないだろうか？

それに気付いた、共同経営者の岩崎弥之助《やのすけ》（弥太郎の弟、三菱財閥二代目総帥）が、慌てててデザインを今風に変えたのは、初代デザインのわずか一年後のことである。

西郷の貌《かお》

望月は、自宅の机に向かっていた。

粒餡豆大福を頬張りながら、未知の領域に取り組んでいた。机の上は、大小さまざまな古写真で賑やかだ。もぐもぐと口を動かしながら大きなモニターを凝視している。

映し出されているのは「一三人撮り」だ。

茶をすすり、また大福を口に運んだ。

侍はオール薩摩。名目、薩英戦争講和だから当たり前である。

右端の大男は西郷。真ん中に座る若侍は島津久治、薩摩藩海防のトップで間違いはない。東郷平八郎、川村純義の二人も本物で、やはり海軍である。

撮影時期は一八六五年一月、グラバーをまじえての英国軍船買い付け等の商談記念写真に間違いはない。

望月は、改めてこれらのことを確認した。

他の顔触れは誰なのか？

躊躇なく薩摩藩の海軍畑に的を絞った。

面割りは、写真がなければ話にならない。

まずインターネットで、大日本帝国海軍将官をざっと眺めた。

びっくりなどという生易しいものではなかった。出てくるわ出てくるわ、大将、中将……海軍は薩摩の指定席だ。聞いていたが、桁違いである。これほど露骨とは思わなかった。

トップ・バッターの海軍大将、西郷従道は面が割れている。ざっと見たところ「一三人撮り」に従道らしき侍はいないようである。

次の有名どころは、やはりこの人、望月が先刻よりモニターに映し出している山本権兵衛《やまもとごんべえ》（一八五二〜一九三三）だ。

むろん海軍大将であり、第一六代と二二代の総理大臣だ。

匹敵する侍はすぐ見出せた。老軍人写真を若くすれば、左端の若侍と瓜二つだ。

ただし難が一つ、あった。

年齢だ。

「一三人撮り」は一八六五年一月だから、権兵衛はまだ弱冠一三歳。はたしてこれが一三歳だろうか？　どう若く見積もってもせいぜい一六歳ではなかろうか。

参考のために、権兵衛の経歴をｉＰａｄでさらった。

すると意外なことが判明した。

なんと権兵衛は、年長組にまじって薩英戦争に参加しているのである。

戦争は一八六三年だから、わずか一〇歳。今で言えば小学校四年、権兵衛はアフリカや南米のゲリラよろしく、同じ町内で育った東郷平八郎兄ちゃんや西郷従道兄ちゃんの後をくっついて走り回っていたというのだから、えらくませた小僧だ。

明治維新になって、西郷隆盛の紹介で勝海舟に可愛がられ、開成所、海軍操練所に入る。

歳を除けば、「一三人撮り」に写っていてもおかしくはない経歴だが、やはりいくら月代《さかやき》を剃《そ》り上げたとしても……歳の壁は崩せず、あきらめた。

そうこうしているうちに、もう一人似ている人物がいることに気付いた。

松方正義《まつかたまさよし》（一八三五〜一九二四）だ。

第四代と六代総理大臣である。

軍人ではないが、薩摩藩軍務局海軍方だ。この海軍方というのが怪しい。

長崎と鹿児島を幾度も往復して、グラバーから軍船の買い付けをやっているから、ここにいてもしっくりいく人物だ。

もし、この男が松方だとしたら、三〇歳の時の写真になる。

やはりあきらめきれない一人がいた。

一度は否定した西郷従道（一八四三〜一九〇二）だ。捨て切れない。言わずと知れた西郷隆盛の弟だ。

従道の写真は晩年のものが多く、いずれも眉と髭が濃い。

さっきは立派な髭に惑わされて、さっさと除外してしまったのだが、しかし「一三人撮り」撮影当時は、二二歳だからさほど毛深くはないはずで、髭モジャではないからといって無下《むげ》には外せない。

六対四で従道か、いや七対三かもしれない。さんざん迷ったあげくの見解は欲しくない。これだ、というすぱっとした答えが欲しいのだ。望月は、判断を保留した。

こだわらずに、次の写真を画面に出した。

樺山資紀《かばやますけのり》（一八三七〜一九二二）だ。

樺山も後の海軍大将だ。見較《みくら》べてみる。ふあっと熱い血が巡った。モニターは後列左から二人目の、そっくりを映し出しているのだ。

ふっくらとした頬、目元、口元、どきっとするほど頃合いである。年齢をチェックする。二八歳でぴたりだ。何度も確信の視線でなぞり、絶対の自信を持ってお墨付きを与えた。


右に座っている侍はどうか？

望月は大福を口に運びながら視線を走らせる。東郷平八郎と一緒にバルチック艦隊を破った片岡七郎《かたおかしちろう》（一八五三〜一九二〇）だ。瓜二つといって差し支えない。

が、残念ながらチャンスはない。当時一〇歳だから年齢が拒絶する。望月ただちに敬遠した。


捜しているうちに、いつの間にか陸軍のサイトに迷い込み、野津道貫《のづみちつら》（一八四一〜一九〇八）を見つけ出していた。

髭を付けるとそっくりになる。片岡と違って歳も頃合いだ。野津は陸軍大将で畑違いだが、陸軍の一人や二人が「一三人撮り」にいてもよいのではないかと思いはじめる。

そういう認識を持ってしまうのは欺瞞だろうか？

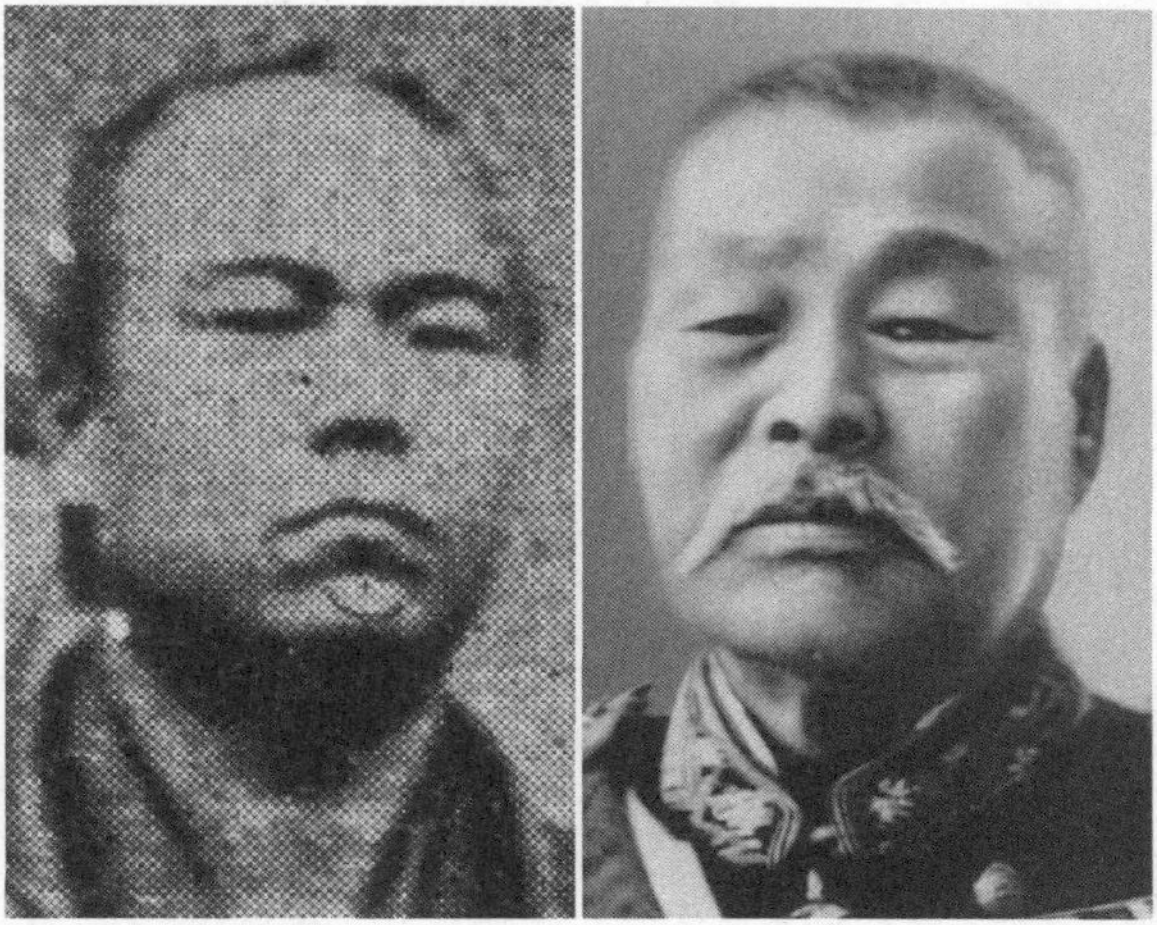

樺山資紀

いやいや、そもそも認識などあてにならない。誰が海軍だけだと決めてかかったのだ？　海軍から陸軍へ異動させられたかもしれず、お手軽に海軍一本槍に解釈しただけである。そんなことを曖昧に思っているうちに、興味は次に移った。

左前で、猿公《えてこう》のように手を突いている侍はどうか？

望月は茶をすすり、候補の軍人を捜した。黒木為楨《くろきためもと》（一八四四～一九二三）を当ててみた。この男も陸軍大将だ。

「一三人撮り」の方が目尻が釣り上がっている。このことをもって別人だと外してしまうのは素人だ。

若者はいつかオジさんになり、オジイさんになる。目尻や頬がたるんで下がるのは常識で、老若の比較面割りは、それを見越してなされなければならない。

それに若侍が髷《まげ》をきりりと結《ゆ》えば、顔面が上に引っ張られ、誰だってキツネ目になりやすい。あるいは、顔の角度もばかにならない。下から見上げるような角度では、釣り眼に変わる。

以上の三条件で、老人の目尻を三段階上げて想像すれば、この写真も合格ではないだろうか。

もう一度、冷静に眺めてみる。

輪郭、鼻も似ているが、何といっても決め手は頭蓋だ。半月のようにこんもりと丸い形状。

望月はじっと眺め、自問した。そして手加減はよくない、と保留にした。

次の画面を出してくすっと笑った。秒殺だ。

左から五人目、久治の左後ろの侍だが、仁礼《にれ》景範《かげのり》（一八三一～一九〇〇）に、笑ってしまうくらい似ている。

——これじゃあ隠しようがないなあ——

一八六七年にアメリカ留学、海軍中将から海軍大臣になっている。歳はこの時三四歳だ。相応である。文句なく合格。

仁礼景範

伊東祐亨

望月は大福を味わいながら、趣味のアンティーク・コインを眺めるような面持ちで、左から六人目、ちょうど島津久治の真後ろに眼をやった。

捜すと伊東祐亨《いとうすけゆき》（一八四三〜一九一四）に行き当たった。

地味で目立たない男だが、開成所で英語を学んでいる。勝海舟の神戸海軍操練所に入って、坂本龍馬、陸奥宗光と共に航海術を習い、堂々の海軍大将だ。

望月は茶をすすった。両方を幾度も見較べた。これだけ歳の違う二枚の写真だ。たとえ同一人物でも完全な一致は不可能だ。

それを踏まえて顔の輪郭、眉と目の位置を眺める。かなりいい線どころではない。ほぼ断定した。

久治の左横、見つけるのに時間はかからなかった。

鮫島員規《さめじまかずのり》（一八四五〜一九一〇）、海軍大将である。

当時の歳は二〇歳、文句の付けようがない。

続いて海軍大将、上村彦之丞《かみむらひこのじょう》（一八四九〜一九一六）を、前列右で座っている侍と目星をつけた。

西郷隆盛

井上《いのうえ》良馨《よしか》（一八四五〜一九二九）は、なかなか難しい。後列左で、顔だけ出している侍はどうか？

井上の写真は一枚しかない。それも海軍大将時代のかなり高齢で、太り過ぎの写真で、簡単ではないが、消去法でいくとこの男が残った。

最後は日高《ひだか》壮《そう》之丞《のじょう》（一八四八〜一九三二）だ。右から四番目。

望月は空の茶碗をすすった。

結局、自信を持って確定したのは島津久治、東郷平八郎、川村純義、樺山資紀、仁礼景範、伊東祐亨の六人だ。

他の侍は似ているが、決め手に今一つ欠

け、自信が持てなかった。

厳しく行きたい。ここで甘い判断を下せば、粗探しの連中に、ほら見たことか、望月の仕事など万事が万事そんなものだと取り返しがつかなくなる。

新しい呑み物を作りにキッチンに立った。コーヒー豆を濾紙《ろし》に入れながら思った。

望月は満足していた。

肝心なことは、神経を尖らせ、どこを調べても、右端の大男に似た人物はただの一人もいなかったことに勝利を感じていたのである。

そう、唯一『フルベッキ写真』に写っている大男以外は。

身長や眉の角度、眼の角度、鼻、口、顎、額にいたるまで、ぜんぶそっくりだ。

望月は、侍を西郷隆盛の貌《かお》だと結論付けた。


万世一系という巨大な秘密が、列島に堆積している。

そして、その秘密に近付けば死が漂う。誰も読まない皇室美化論文を書いていれば安全だが、真を問い、疑問に取り組む作家は、周囲に 禍《わざわい》をもたらす。

真実が力を持っているからだ。学者は語らず、法律家は告発せず、報道機関は流さない。かくして邪魔者は静かに消される。正義など幻想にすぎない。

しかし、禍の影におびえるユカの姿は見たくない。
もうすぐユカから電話が来るはずである。
こう告げるつもりだ。
そろそろ、自分が背負ってきた重い荷物を降ろしたくなったと。
望月真司、もう充分だろう。

誰が写っていたのか

「一三人撮り」には

主要参考文献

『岩倉具視　増補版』大久保利謙（中公新書）
『江藤新平』杉谷昭（吉川弘文館）
『江藤新平　増訂版』毛利敏彦（中公新書）
『奥羽越列藩同盟』星亮一（中公新書）
『大久保利通』毛利敏彦（中公新書）
『日本の歴史8　古代天皇制を考える』大津透、大隈清陽、関和彦、熊田亮介、丸山裕美子、上島享、米谷匡史（講談社）
『古代を考える　日本と朝鮮』武田幸男／編（吉川弘文館）
『海舟語録』勝海舟／著　江藤淳・松浦玲／編（講談社学術文庫）
『西郷隆盛語録』奈良本辰也、高野澄（角川ソフィア文庫）
『精町《しらげ》から佐賀の乱を読む』片桐武男（佐賀新聞社）
『太宰府天満宮の謎』高野澄（祥伝社黄金文庫）
『旅立ち　遠い崖―アーネスト・サトウ日記抄1』萩原延壽（朝日新聞社）
『天皇・天皇制をよむ』歴史科学協議会／編　木村茂光・山田朗／監修（東京大学出版会）
『長州奇兵隊』一坂太郎（中公新書）
『中山忠光暗殺始末』西嶋量三郎（新人物往来社）
『野村望東尼』谷川佳枝子（花乱社）
『幕末の天皇』藤田覚（講談社選書メチエ）
『氷川清話』勝海舟／著　江藤淳・松浦玲／編（講談社学術文庫）

『戊辰戦争』佐々木克（中公新書）
『戊辰戦争から西南戦争へ』小島慶三（中公新書）
『松本清張対談　古代史の謎』水野祐、和歌森太郎、井上光貞（青木書店）
『松本清張の日本史探訪』松本清張（角川文庫）
『明治天皇』伊藤之雄（ミネルヴァ書房）
『明治天皇』笠原英彦（中公新書）
『横井小楠と松平春嶽』高木不二（吉川弘文館）
『吉田松陰』海原徹（ミネルヴァ書房）

資料協力
渡辺孝美（福島県いわき市）
太宰府天満宮
財団法人西郷南洲顕彰館
株式会社島津興業

（本書は平成二十四年一〇月、小社から四六版で刊行されたものに著者が大幅に加筆、修正したものです）

祥伝社文庫

西郷《さいごう》の貌《かお》
新発見の古写真が暴いた明治政府の偽造史

平成 27 年 9 月 5 日　初版第 1 刷発行
平成 29 年 11 月 20 日　第 3 刷発行

著者　加治将一《かじまさかず》
発行者　辻　浩明
発行所　祥伝社《しょうでんしゃ》
東京都千代田区神田神保町 3-3
〒 101-8701
電話　03（3265）2081（販売部）
電話　03（3265）2080（編集部）
電話　03（3265）3622（業務部）
http://www.shodensha.co.jp/

印刷所　堀内印刷
製本所　ナショナル製本

 ISBN978-4-396-31676-1 C0195

祥伝社文庫の好評既刊

加治将一

龍馬の黒幕

明治維新の英雄・坂本《さかもと》龍馬を動かしたのは「世界最大の秘密結社」フリーメーソンだった？

加治将一

舞い降りた天皇（上）

天孫降臨を発明した者の正体!? 「邪馬台国」「天皇」はどこから来たのか？ 日本誕生の謎を解く古代史ロマン！

加治将一

舞い降りた天皇（下）

卑弥呼の墓はここだ！ 神武東征、三種の神器の本当の意味とは？ 歴史書から、すべての秘密を暴く。

加治将一

幕末維新の暗号（上）

坂本龍馬、西郷隆盛《さいごうたかもり》、高杉晋作《たかすぎしんさく》、岩倉《いわくら》具視《ともみ》、大久保利通《おおくぼとしみち》……英傑たち結集の瞬間!? これは本物なのか？

加治将一

幕末維新の暗号（下）

古写真を辿《たど》るうち、見えてきた奇妙な合致と繋がりとは——いま、解き明かされる驚愕の幕末史！

加治将一

失われたミカドの秘紋《ひもん》

日本に渡来した神々のルーツがここに！ ユダヤ教、聖書、孔子、始皇帝、秦氏……すべての事実は一つに繋がる。